D1178241

Le plan
Vénus mon amour

Rokia Tamache

Le plan
Vénus mon amour

Science-fiction

TEXTES ET
CONTEXTES

Catalogage avant publication de Bibliothèque et Archives nationales du Québec et Bibliothèque et Archives Canada

Tamache, Rokia, 1940 –

Le plan Vénus mon amour : science-fiction
ISBN 978-2-923706-74-0

1.Titre

PS8639.A535P522014 C843'.6 C2014-942127-3
PS9639.A535P522014

TEXTES ET CONTEXTES / KLEMT édition
2155 rue des Cigales, Sainte-Adèle (Québec) Canada J8B 3M7
Téléphone : 450-712-8249
www.textesetcontextes.ca / www.klemtedition.com

Mise en page : KLEMT édition
Couverture : Julie Leclair
Photo de l'auteur fournie par l'auteur
Révision : KLEMT édition

Dépôt légal : 4e trimestre 2014
Bibliothèque et Archives nationales du Québec
Bibliothèque et Archives Canada

Ce récit est dédié aux jeunes d'aujourd'hui qui seront les décideurs de demain sur Terre.

Remerciements

Je tiens à remercier Monsieur Marcel Mercier, auteur de plusieurs ouvrages, pour ses nombreux et précieux commentaires.

Chapitre 1

Vénus et Terre se sont, au fil des millénaires, diamétralement éloignées. Vénus, contrairement à sa jumelle Terre qui fut saccagée par ses habitants, est restée inaltérée et florissante. Aujourd'hui, elle exhibe ses précieuses richesses : ses collines touffues, ses plaines sablonneuses, ses montagnes rocheuses – parfois couronnées de neige ou peuplées d'arbres et de plantes d'une variété à couper le souffle. Toutes ces beautés sont offertes généreusement aux Vénusiens qui, en retour, témoignent leur gratitude envers leur planète en respectant son environnement naturel et culturel. En effet, fruits et légumes poussent de bon gré dans le sol vénusien sans être infestés de produits chimiques. La beauté des vergers, hauts en couleur, en témoigne.

Les Vénusiens retirent ainsi de leur sol des bénéfices inestimables et savent qu'ils consomment des aliments dont la saveur et la valeur nutritive sont inégalables.

Vénus est constituée d'un ensemble d'États qui relèvent d'une juridiction planétaire unique. Ces États sont liés par un pacte qui contrecarre les potentiels conflits et nuisances qui pourraient surgir entre eux. Cette entente favorise les échanges de produits. C'est ainsi que les ressources vénusiennes profitent à tous les habitants de la planète. Méconnu des Vénusiens, l'argent ne fait l'objet d'aucune convoitise ni ne divise la société en classes sociales. Le troc est l'unique façon de traiter avec les autres pour obtenir des biens ou des services. Sur Vénus, deux devises prévalent : « Un service en vaut un autre » et « Un produit pour un autre ». Même les enfants, dès l'âge de huit ans, y sont assujettis. La richesse individuelle se mesure à la connaissance et au savoir, et la pauvreté à l'ignorance. Pour contrer l'oisiveté, les habitants sans emploi fréquentent de plein gré des établissements éducatifs. Soit ils se tournent vers les arts et les sports, soit ils prêtent tout simplement main-forte à leurs semblables.

Des médiateurs, au service de la population, tiennent lieu d'avocats, de procureurs et de juges. Suneva est la plus grande ville de Vénus. Elle abrite le palais présidentiel qui gouverne la planète entière, tandis que chaque État possède un ministère principal, avec ses propres lois et obligations. Si nécessaire, les dirigeants des autres ministères, reliés aux différents États qui composaient Vénus, pouvaient participer activement, à l'aide d'écrans électroniques, aux réunions interministérielles organisées au palais présidentiel. Ainsi pouvaient-ils communiquer entre eux, sans avoir à se déplacer.

La plus grande salle de rédaction, au service de toute la planète, est aussi située à Suneva, alors que chaque région possède une plus petite salle pour le traitement et la diffusion de ses propres informations. Des journalistes au service du Ministère des Affaires internationales de Vénus alimentent la grande salle de Suneva. N'étant pas à la solde de groupes majoritaires, aucun intérêt ne les pousse à fausser leurs données. Leur tâche consiste donc à rapporter et à faire circuler d'authentiques informations sur toute la planète. De cette manière, les Vénusiens demeurent régulièrement informés des événements qui se déroulent dans l'Univers. Ils écoutent les informations transmises sur les ondes deux fois par jour seulement, ce qui leur permet de bien les analyser.

La société vénusienne traite ses citoyens avec équité et respect. Son système planétaire universel favorise le bien-être des Vénusiens et leur facilite des rapports mutuels harmonieux. La Charte des échanges immobiliers permet aux résidents qui désirent voyager de le faire à un coût raisonnable. Pour que les peuples se mélangent, l'accent est mis sur ce qui les rassemble. La philosophie et l'histoire des peuples sont des matières importantes dans les programmes d'enseignement vénusiens. Les populations sont avides de savoir.

La planète Vénus avait élu une femme comme présidente. Cette dernière, Amikah, en plus d'incarner la féminité et l'élégance, était dotée d'un fort caractère et d'une personnalité hypnotique. Elle était admirée pour sa générosité et respectée par son peuple pour sa disponibilité. Quand il s'agissait de défendre le bien-être des Vénusiens ainsi que leur Environnement, elle savait faire preuve de rigueur. Un matin, submergée par un flot de nouvelles préoccupations, elle se prépara en se demandant :

— Pourquoi suis-je convoquée à une réunion urgente du Conseil de sécurité à 7 h du matin? Que vais-je apprendre d'inquiétant?

Vêtue d'une robe en voile de coton, elle s'élança avec grâce dans le long couloir menant à cette réunion. Ses cheveux noirs nattés, aussi luisants que les plumes d'un corbeau, glissaient dans son dos en suivant la cadence de sa démarche. Chaussée de sandales à semelles fines, elle hâtait le pas. Légère comme une plume, elle planait au-dessus du sol carrelé qui reflétait sa silhouette longiligne. Anxieuse, la respiration entrecoupée par des marmonnements inaudibles, elle atteignit rapidement son lieu de rendez-vous. Dans un coin du Palais présidentiel se cachait une vaste salle circulaire presque vide de meubles. Le haut plafond en vitrail filtrait une lumière multicolore qui se réfléchissait sur les murs ainsi que sur une table ronde en bois d'acajou, entourée de fauteuils. Sur cette table trônaient trois pichets d'eau froide, embués, et douze verres sur pied, étincelants. Ce lieu peu fréquenté dégageait une légère odeur de renfermé qui, étrangement, ne semblait pas déranger les personnes présentes ce jour-là. Quelques œuvres d'art gigantesques ainsi que plusieurs écrans tapissaient les grands murs sans fenêtres. Ces œuvres venaient rappeler aux assistants leur Histoire. Une lourde porte capitonnée se referma automatiquement sur Amikah et préserva les membres de la réunion des regards indiscrets et du tonnerre qui mugissait sourdement. Chacun se salua rapidement. Amikah était accompagnée de son conseiller Diffah, qui devait présider l'Assemblée, et de Fidèle, sa secrétaire. Le général des armées, Ader, était venu accompagné d'Ossassau, le chef des commandos-espions, qui caressait comme toujours d'une main agile les poils de sa barbe. Raffadj, le chef des nouvelles internationales et étrangères, était aussi présent. Les yeux fixés sur la Présidente, il attendait impatiemment que débute la réunion. Pargog, le géographe universel et Teicos, le sociologue planétaire, avaient également répondu à l'appel. Loin de se douter de la teneur de cette rencontre, ils échangeaient gaiement des propos sur la tempête qui faisait rage à l'extérieur du palais. Diffah annonça l'ouverture de la séance. Alors le général Ader, le visage imberbe et lisse comme un miroir, le crâne dégarni sous son casque incrusté de petites étoiles témoignant de ses expériences militaires, se racla la gorge. Le buste droit, les coudes appuyés sur la table avec les mains jointes, il s'adressa directement à Amikah, assise en face de lui. D'une voix rauque et légèrement nasillarde, il lui dit :

— Madame la Présidente, nos commandos-prospecteurs invisibles, à la suite de leur traditionnel séjour sur la planète Terre, ont rapporté une nouvelle qui confond l'entendement : ses dirigeants préparent en ce moment des plans pour conquérir Vénus. Nous pensons qu'ils projettent de prendre le contrôle de notre planète et de nous coloniser.

Cette déclaration, loin d'être réjouissante, donna raison aux inquiétudes prémonitoires d'Amikah. Debout, les yeux écarquillés de stupeur, cette dernière garda le silence quelques secondes puis se pencha vers le général :

— Ça alors! Êtes-vous sûr de ce que vous avancez, général Ader?

— Absolument, Madame la Présidente. Tenez, dit le général en lui présentant un document volumineux. Vérifiez par vous-même. Ossassau et moi avons passé quarante-huit heures, ponctuées de brefs moments de repos, à analyser ces informations. Vous savez que nos services de renseignements sont des plus fiables.

Les autres assistants réagirent en poussant des « oh! » de consternation, suivis de longs murmures. Diffah, le président de l'assemblée, se leva et invita les participants au calme.

Après avoir lu le synopsis qui accompagnait le document, la présidente, la main sur le front, poussa un long soupir de désolation en roulant les yeux au ciel. Elle se rassit, puis s'adressa au général Ader, en fronçant les sourcils et toussotant :

— C'est une nouvelle d'une gravité exceptionnelle qui mérite d'être prise au sérieux. Présentez-moi, d'ici trois jours, un plan de défense ou plutôt de protection, vu l'urgence de l'information. Je compte sur votre efficacité habituelle.

— Ce sera fait, Madame la Présidente.

— Cependant, ajouta-t-elle, je vous somme de prendre toutes les précautions pour vous assurer que les renseignements contenus dans ce document soient exacts. Pour rien au monde, je ne voudrais imiter les pratiques d'un grand nombre de dirigeants terriens. Ne commettons pas l'erreur d'accuser les autres à tort, par peur ou par démagogie. Veillez, je vous prie, à ce qu'aucun Vénusien ne soit informé de cette nouvelle avant que je n'en donne l'autorisation ».

Laissant Ossassau et les autres membres bouillonnants d'impatience, la présidente réussit à quitter la salle, suivie de Fidèle, sa secrétaire, et de Diffah, son précieux conseiller. Ces derniers travaillaient à son service depuis qu'elle avait succédé à sa mère, la présidente Yakaro, décédée plusieurs années auparavant. Diffah, avec ses sourcils en broussaille et ses petits yeux perçants, affichait en permanence un visage austère. Il attendait toujours d'être seul avec Amikah pour lui livrer ses impressions. Quant à Fidèle, elle se contentait d'exécuter les ordres de sa présidente.

De retour à son bureau, malgré le nuage opaque qui voilait son cerveau, Amikah fit clairement le vœu de repousser toute forme d'agression dirigée contre son peuple. Elle réfléchissait à l'éventualité d'une attaque armée. Debout devant la baie vitrée de son bureau, elle fixa les branches qui se balançaient au loin sous la pluie et tenta de détourner quelque peu son esprit de ses préoccupations du moment. Devenue plus calme, elle décida qu'il serait plus sage d'attendre d'autres nouvelles de la part du général Ader.

De leur côté, le général Ader, le chef des informations et le chef des commandos convinrent d'un autre rendez-vous dans la même salle. Ils voulaient poursuivre la discussion et décider d'un plan pour faire face à la situation. Oubliant de déjeuner, les trois hommes rejoignirent d'abord leurs bureaux respectifs afin d'ébaucher leurs propres plans. Finalement, en fin d'après-midi, le général Ader accueillit ses deux collaborateurs :

— Nous voilà tous les trois réunis à l'abri des oreilles indiscrètes. Avez-vous pris le temps de respirer un peu?

Les deux chefs opinèrent.

— Je confirme, poursuivit Ader, que les informations recueillies par nos agents-prospecteurs invisibles sont tout à fait solides. Des Terriens semblent déterminés à envahir notre planète pour s'y installer. Toutefois, à ce jour, nous n'avons obtenu aucune précision sur la date d'exécution de leur conspiration machiavélique.

Pendant une bonne partie de la nuit, les trois chefs échangèrent leurs points de vue et mirent au point le plan demandé par la présidente. Puis ils retournèrent tous dans l'intimité de leurs familles, en prenant garde de ne rien révéler. Le lendemain matin, ils se réunirent à nouveau pour réviser le plan établi la veille. Ils passèrent la journée à le peaufiner en prenant de petites pauses-café et collations composées de fruits frais. Finalement, satisfait des résultats de leurs délibérations compilés dans un opuscule, le général annonça :

— Nos prospecteurs invisibles sont impatients de commencer leur mission.

— Attendons d'abord, dit le chef Raffadj, que la présidente l'approuve ».

Ossassau acquiesça d'un signe de tête.

L'effervescence était à son comble au palais. Les membres du personnel se doutèrent que quelque chose d'inhabituel était en train de se produire, mais sachant qu'ils en seraient informés en temps et lieu, ils tâchèrent de modérer leur inquiétude. Le général Ader se rendit chez le conseiller Diffah pour lui remettre le document commandé par la présidente. Elle devait en prendre connaissance avant la rencontre planifiée pour le lendemain matin à 7 heures. Une copie du projet fut ensuite transmise aux personnes invitées à la réunion.

Le matin de l'ouverture de la séance, les écrans électroniques s'activèrent automatiquement pour permettre aux dirigeants des pays de la planète d'y participer à distance. Le général Ader prit la parole, le regard fixé sur Amikak :

— Madame la Présidente, avec les chefs Raffadj et Ossassau, nous avons élaboré le plan que vous aviez commandé. Nos personnels respectifs, qui vont contribuer à sa concrétisation, ont été informés succinctement de son contenu.

L'impatience visible des personnes présentes attira l'attention de la présidente Amikah, qui finit par répondre, la gorge serrée et la voix presque éteinte :

— Je tiens à préciser que je n'ai jamais douté de votre amour pour Vénus. Aussi, je vous accorde ma pleine confiance.

Debout, les participants applaudirent chaleureusement en scandant des « bravos » aux trois hommes. Les membres du Conseil de sécurité et les dirigeants des autres pays entérinèrent à l'unanimité le document et baptisèrent le plan *Vénus mon amour*.

— Les preuves me paraissent irréfutables, poursuivit Amikah. Je dois donc en informer notre peuple, non de gaîté de cœur.

Elle ordonna alors au chef des nouvelles de préparer son discours. Puis, lançant un regard intense aux participants, elle ajouta :

— Si j'ai bien compris les propos du général, nos hommes sont prêts à partir en mission. Soit. Mais avant, je veux vous rencontrer tous les trois le lendemain de mon allocution. Disons vers 14 heures, dans mon bureau principal. Je tiens à recevoir la version définitive de ce plan.

Le général Ader assura la présidente de leur présence au rendez-vous. La réunion terminée, Amikah, plus détendue, esquissa un sourire et quitta la salle, laissant les membres deviser entre eux. Ces derniers échangèrent leurs sentiments mitigés, teintés de craintes et d'espoirs.

Ce soir-là, dans son appartement situé dans un coin retiré du Palais présidentiel, Amikah retrouva le confort de son intimité. Bien que fine cuisinière elle-même, elle accepta le menu élaboré que lui proposa son chef cuisinier. Assise confortablement dans sa salle à manger, près de la fenêtre, elle attendait patiemment son souper. La table, recouverte d'une ravissante nappe blanche, recevait la lumière d'un lustre formé de cristaux multicolores. Amikah réussit à se détendre dans ce lieu qu'elle affectionnait, parmi les meubles et bibelots chargés de souvenirs, qu'elle rapportait de ses nombreuses visites à travers la planète. Les caressant du regard, elle se remémora quelques anecdotes cocasses. Elle se souvint, entre autres, du jour où un fleuriste, dans une région luxuriante de Vénus, lui offrit, d'un air coquin, le bouquet qu'elle tenait à présent dans ses mains, pour qu'elle accepte en échange de l'épouser. Ce marchand ignorait tout d'Amikah. Il ne savait pas qu'en tant que fille unique de la présidente de l'époque, elle allait lui succéder un jour venu. Encore flattée par cette demande, elle esquissa un léger sourire.

Soudainement, un léger bruit à la porte interrompit les rêveries d'Amikah. Le cuisinier fit son entrée, portant à bout de bras un plateau en laque noire tout garni. Il le déposa délicatement devant elle. Les effluves d'épices chatouillèrent ses narines. Les assiettes en porcelaine vert-émeraude et blanche reçurent une salade comme entrée, puis un poisson cuit au four et saupoudré d'herbes aromatiques. Dans un panier en osier était découpée une petite baguette de pain, cuite au four traditionnel. Amikah se délecta tout d'abord de toutes les odeurs et couleurs des plats servis devant elle. Ensuite, elle savoura son repas à petites bouchées. En dessert, elle dégusta une crème caramel accompagnée d'une tasse de thé. La présidente aimait les repas simples, ce qui facilitait la tâche du chef. Comme tous les Vénusiens, Amikah mangeait pour vivre; elle ne vivait pas pour manger. Un jardin potager soigneusement entretenu ainsi que des vergers d'agrumes et de fruits de toutes sortes entouraient le Palais, ce qui permettait au cuisinier de composer des menus variés.

À la fin du repas, la présidente quitta la salle à manger pour aller se détendre et écouter les nouvelles interplanétaires. Elle voulait détecter les intentions malveillantes et les ruses des Terriens à l'égard de Vénus. Sa recherche fut infructueuse. Alors, elle choisit un livre dans sa riche bibliothèque. Elle reprit la lecture d'un livre qu'elle avait déjà parcouru et qui s'intitulait :

Tout sur les Terriens. Elle avait la ferme intention de le lire au complet. De nombreux ouvrages sur les planètes et leurs habitants accompagnaient habituellement ses soirées. Sa mère lui avait souvent répété de s'informer régulièrement sur ses adversaires et de ne pas les sous-estimer. Le cœur apaisé, mais avec une voix étranglée par l'émotion et une grande ferveur, elle lui adressa une prière de paix. Amikah se rendit ensuite dans sa salle de bain pour entamer sa toilette rituelle et se préparer pour la nuit en espérant bénéficier d'un sommeil paisible et réparateur.

***

Trois jours plus tard, la présidente s'adressa à son peuple. Le parc choisi pour les circonstances lui convenait parfaitement. L'après-midi était paisible. Des arbustes à fleurs multicolores tournaient leurs têtes vers le flambeau du jour. Des arbres fourbus et d'autres vigoureux et très feuillus, dressés en colonnes majestueuses, ombrageaient l'endroit. La foule, composée de gens de tous âges, formait une vaste mosaïque vestimentaire. Les retardataires accouraient de toute part et la foule grossissait à vue d'œil. Grâce à une installation à la fine pointe de la technologie, les Vénusiens purent tous suivre le discours de la présidente, annoncé depuis quarante-huit heures seulement, mais tant attendu. Ils boudèrent les bancs publics, préférant rester debout. Des applaudissements à tout rompre accueillirent l'arrivée d'Amikah. Du haut de son estrade, debout, à l'ombre d'un auvent en toile blanche fixé pour l'occasion entre deux arbres, ses cheveux au vent, elle saisit à deux mains, avec prestance et conviction, le microphone sur pied. Son visage hâlé témoignait des nombreuses caresses reçues dans sa vie par l'astre solaire. Le général Ader, raide comme la justice, les mains croisées derrière le dos, se tenait à ses côtés. Alors que tous les regards convergeaient vers elle, de sa voix cristalline et posée, elle révéla :

— Chers Vénusiens! Vous savez combien la qualité de vos vies me tient à cœur. Aujourd'hui, c'est avec consternation que je m'apprête à vous communiquer une nouvelle qui risque de vous indigner. Je tiens à vous parler des Terriens qui sont, malheureusement, en voie d'extinction en raison de leur imprévoyance et négligence à l'égard de leur planète, la Terre. C'est par manque de respect qu'ils précipitent la destruction de leur planète. Et cela ne semble pas les inquiéter outre mesure puisqu'ils ne font rien pour enrayer sa future disparition. Pour la plupart des Terriens, Vénus ne représente qu'un enfer inhabité, dont l'atmosphère est composée d'épais nuages de méthane qui créent un effet de serre. Mais une minorité sait indéniablement que nous existons et peuplons une planète inaltérée. Pour cette raison, ils veulent nous envahir.

Des murmures de stupéfaction jaillirent de la foule. Les Vénusiens, suspendus aux lèvres d'Amikah, furent effarés. La présidente précisa alors :

— Pour ne pas ressembler à la plupart des dirigeants terriens, je me garderai de tomber dans le piège des préjugés les concernant. Toutefois, j'en ai long à vous apprendre. Je tiens également à vous assurer que nous ne permettrons à aucun peuple étranger d'occuper notre planète. Nous possédons des moyens supérieurs aux leurs pour nous protéger et nous défendre en cas de nécessité. De grâce, ne vous laissez pas envahir par la crainte. Nos commandos sont ingénieux, responsables et intègres. Sachez qu'ils veillent sur Vénus et assurent notre sécurité en y employant tout leur courage. Il est certain que le comportement innommable de la majorité des Terriens nous incite à user de stratégies qui s'éloignent des conventions universelles, mais je peux vous assurer qu'aucun danger ne pèse sur nous. Je profite d'ailleurs de ce moment d'audience pour exprimer ma gratitude envers ceux qui partiront vers la Terre. Ils y séjourneront plusieurs mois. Leurs familles ne manqueront de rien durant leur absence. Toutefois, je fais confiance en votre constante solidarité. Je vous remercie de l'attention que vous avez accordée à mon message.

Quelque peu soulagée, mais anxieuse, la présidente Amikah quitta la foule, suivie de son conseiller et de sa secrétaire. Elle était loin de se douter de l'ampleur de la réaction suscitée par son annonce. Les Vénusiens, pris de cours, ne s'attendaient pas à cette déclaration. Certains d'entre eux ignoraient totalement que les Terriens infligeaient des sévices à leur planète. Désagréablement surpris, échangeant quelques suppositions à ce sujet, ils décidèrent d'en apprendre davantage sur leurs voisins. À leurs yeux, les Terriens devaient protéger leur planète plutôt que de convoiter celle des autres. Ils furent nombreux à se précipiter dans les bibliothèques et même sur Internet pour assouvir leur curiosité sur ce sujet.

Après des jours de travail laborieux, le général Ader et les chefs Raffadj et Ossassau parvinrent enfin à présenter à Amikah la version officielle du document tant attendu. Dans son bureau, la présidente éplucha chaque mot tout en analysant les explications des trois hommes qui lui faisaient face. Elle demanda :

— Comment peut-on nous assurer de l'efficacité de ce plan?

Le général Ader, piqué au vif dans son orgueil, se redressa dans son fauteuil. Soucieux du travail accompli, il réagit :

— Je me permets d'affirmer, Madame la Présidente, que toutes les stratégies mentionnées dans ce plan nous seront favorables. Nous rencontrerons certes quelques difficultés au cours de sa réalisation, mais nous y ferons face en temps et lieu.

— Je suis entièrement d'accord avec mon général, enchaîna Ossassau. Notre but ultime est d'empêcher tout Terrien de contrôler Vénus. Tout a été minutieusement envisagé par nous trois. Faites-nous confiance, Madame!

L'entretien dura quatre heures et fut à peine interrompu par quelques minutes de pauses. Assise bien droite dans son fauteuil, Amikah pencha sa tête en arrière et arbora un grand sourire de satisfaction, laissant entrevoir sa parfaite dentition. « Nous ne courberons pas l'échine », lança-t-elle. Puis elle apposa sa majestueuse signature sur le plan *Vénus mon amour*. Le général, suivi des deux chefs, quitta la pièce pour rejoindre son bureau où l'attendaient les commandos-prospecteurs invisibles. Résolus à mourir pour protéger leur planète, ces derniers se montrèrent déterminés à accomplir leur mission. Ils attendaient avec impatience la suite des directives. Dès son entrée, le général leur présenta ses compagnons. Debout, dans une posture rigide, il ajusta son casque de ses deux mains et s'adressa à eux avec fougue et fermeté :

— Chers amis, je vous invite à vous asseoir. J'ai une information de haute importance à vous communiquer. Notre présidente a ratifié le plan *Vénus mon amour*.

Les commandos soutinrent sans équivoque le général Ader en l'applaudissant généreusement. Satisfait et persuadé de la fiabilité de ses hommes, ce dernier opina de la tête avec ravissement. Il les remercia de leur fidélité et de leurs convictions, tout en les prévenant que le voyage serait long et épineux. Il remit à chacun d'eux un exemplaire du plan d'intervention et leur recommanda de le lire en prêtant une attention particulière aux passages qui les concernaient.

— Demain, à 19 h 30, nous prendrons le temps de répondre à vos questions, leur dit-il. Je vous expliquerai exactement votre mission sur la planète Terre. Soyez sans crainte, vous recevrez les consignes appropriées pour l'accomplissement de votre première expédition. Avant de quitter Vénus, profitez des quelques moments de loisir dont vous disposez avec vos familles respectives. Votre absence sera de trois mois, jour pour jour.

Après avoir informé les dirigeants des États vénusiens de la mise en application du plan *Vénus mon amour*, la présidente nomma le général Ader comme seul haut responsable des opérations. En collaboration avec ses commandos, il devait s'acquitter avec succès de cette mission. Ce soir-là, le temps passé avec sa famille parut trop bref au général. Durant le repas, il tenta de rassurer sa conjointe et sa fille unique :

— Vous êtes au courant de la situation qui prévaut sur Vénus. Je dois remplir une mission importante et délicate concernant le dossier des Terriens. C'est tout ce que je peux vous dire pour le moment.

Redoublant de prudence, il leur livra quelques détails sur sa mission, mais tout ne pouvait être dit.

— Je vous demande de faire preuve de compréhension à mon égard, car désormais mes visites à la maison seront brèves. Le devoir m'appellera à travailler tard le soir.

Avec une petite moue, la conjointe d'Ader dirigea furtivement son regard vers sa fille. Impuissante, elle s'abstint de tout commentaire.

Un peu plus tard, un bref orage éclata soudainement puis s'éloigna. Assis à sa table de travail, le général Ader, plongé dans ses réflexions, prit conscience de l'envergure de la tâche qui lui était confiée. Il songea au comportement des Terriens qui menaçaient d'envahir Vénus. Dans un grand soupir, il marmonna :

— Je souhaite du plus profond de mon être que d'autres humains, infiniment plus sages, réussissent à retenir les ardeurs de leurs semblables avides de profits personnels immodérés et égoïstes. Je place ma confiance en ces êtres de raison qui pourraient ultimement empêcher la mise en péril de ma planète et de la leur.

Son attention était concentrée sur ce sujet brûlant qui l'obsédait. Il fit tourner son stylo entre ses doigts et griffonna quelques mots sur une feuille. Il commença à élaborer des tactiques particulières, à transmettre aux commandos avant leur départ vers la Terre. Ses pensées se concentrèrent sur la meilleure stratégie à employer. Soudain, l'aurore projeta sa faible lueur rosée dans le bureau dénué de mobilier – hormis une bibliothèque, dans un coin, et une table de travail. Le général, l'esprit encore assailli par de nombreuses stratégies, plus complexes les unes que les autres, décida de rentrer chez lui. Au moment de sortir, une surprise de taille l'attendait. La présidente, les traits creusés par la fatigue, mais l'allure fière et imperturbable, se tenait dans l'embrasure de la porte. Comme lui, elle semblait ne pas avoir fermé l'œil de la nuit. Ils se fixèrent des yeux pendant quelques secondes. Finalement, en faisant glisser les lunettes sur son nez, Amikah, les yeux découverts, s'adressa à lui :

— Général! Je vous suis très reconnaissante d'avoir accepté cette mission délicate et complexe.

Le général Ader, son casque à la main, s'empressa de le mettre sur sa tête et enchaîna :

— Madame la Présidente, j'accomplis mon devoir en tant que chef d'état-major des armées. J'aime Vénus et ce n'est un secret pour personne, du moins je le crois! J'userai donc au mieux de mes capacités pour la protéger et la défendre, si quiconque projetait de lui nuire.

La présidente, laissant transparaître un soupçon d'émotion dans la voix, lui confia :

— J'ai du mal à croire à une éventuelle invasion de la part de voyous égarés. Nous, les Vénusiens, habitons une merveilleuse planète et formons un peuple pacifique et heureux. Nous le méritons, car nous entretenons des relations harmonieuses avec les planètes voisines. Et voilà que des Terriens sans scrupules voudraient nous ravir notre planète? Est-ce du désespoir, de la convoitise, ou les deux? Allez savoir! Cela importe peu. Cependant, nous ne porterons pas la responsabilité de leur défaite. Les Terriens ont pu jouir de la sœur jumelle de Vénus, mais ils n'ont pas su la préserver. Ce sont des ingrats!

Ader l'écouta sans l'interrompre. Les Terriens attisaient visiblement la critique de la présidente, en faisant preuve de mauvaise foi à l'égard de leur planète, et aucune excuse pour spolier Vénus ne paraissait acceptable à ses yeux. Mais la sagesse l'emportant sur les émotions, elle cessa de s'offusquer et attendit de prendre connaissance des informations que rapporteraient les prospecteurs invisibles.

— Essayez de vous reposer un peu, général Ader, ajouta-t-elle en baissant la tête. Il me semble que vous avez besoin de toute votre créativité pour mener à bien cette première mission.

Amikah regagna son appartement. Encore vêtue de sa tenue de ville, elle s'installa, les bras croisés, sur le bord de son lit. Dans cette pièce où le calme régnait, elle donna libre cours à ses pensées. La crainte qu'une guerre n'éclate entre Terriens et Vénusiens emplit son esprit d'images d'une rare intensité. Elle voyait des édifices abritant des familles détruits et pris au piège de flammes, des cadavres terriens et vénusiens jonchant le sol. Saisie d'un léger tremblement, elle serra ses bras fortement sur sa poitrine. Puis elle se leva brusquement, pour mieux chasser de son esprit ces images horribles. Et en arpentant sa chambre d'un pas traînant, elle murmura, pour mettre fin à ses réflexions :

— Rien ne sert de spéculer sur l'inconnu. Peut-être bien que tout cela n'arrivera jamais.

Dans son bain, elle accomplit son minutieux rituel de méditation, mais cela ne parvint pas à la distraire des événements des derniers jours. Elle se retira alors dans sa chambre. Enveloppée dans sa robe de nuit douillette et blottie sous ses draps, elle réfléchit encore un moment puis, ses paupières devenant lourdes, elle finit par s'endormir. Au matin, le jour éclairait sa chambre avec douceur. Tels des poignards, de fins rayons de soleil transperçaient les tentures qui couvraient l'unique fenêtre. Son repos de courte durée allait nuire à l'efficacité d'Amikah, en cette nouvelle journée de travail, même si, habituellement, quelques heures de sommeil, entre le coucher du soleil et l'aurore, suffisaient amplement à chaque Vénusien pour refaire le plein d'énergie. Les capacités intellectuelles de ces êtres étaient supérieures à celles des Terriens. Pour avoir expérimenté les psychotropes, les Vénusiens se méfiaient de la dépendance qu'ils généraient et des effets désastreux qu'ils exerçaient sur le corps et le cerveau. Aussi, avaient-ils tourné le dos aux « paradis artificiels » et préféraient-ils se ressourcer en jouissant pleinement des bienfaits de la Nature. Ils profitaient des parcs, tous publics, baignés de soleil et verdoyants durant les saisons sèches, merveilleusement enneigés et propices aux plaisirs des amateurs de sports durant la saison d'hiver. Finalement, vivre sans compétition – qu'ils considéraient comme vaniteuse, nuisible et dangereuse pour la santé – profitait aussi à leur esprit.

Chapitre 2

En soirée, l'astre radieux étant sur le point de se coucher, le général Ader invita les commandos à prendre place autour de la table rectangulaire de leur salle de réunion. En fixant le plan *Vénus mon amour* étalé devant lui, il déclara :

— Les dirigeants des pays de Vénus appuient l'exécution de ce plan. Ils nous prêteront main-forte, si nécessaire.

Puis, voyant que personne ne levait la main pour le questionner, il poursuivit :

— Comme vous me semblez avoir retenu le sens exact de notre mission et son importance, je vous parlerai davantage, ce soir, de votre rôle proprement dit sur Terre! En fait, il consiste à analyser minutieusement les comportements des habitants de cette planète dans leur quotidien.

Face aux mimiques faciales des prospecteurs présents, le général prit le temps d'ajouter :

— La présidente veut être informée sur tout ce qui concerne les Terriens, même leurs sentiments. Je vous demande de ne jamais intervenir lorsque vous serez témoin de situations qui vous horripileront. Vous êtes capable de vous maîtriser. Votre mission consiste tout simplement à observer et scruter les Terriens. Sachez aussi que vous ne retournerez pas une deuxième fois sur Terre.

Légers comme l'air et dotés de la faculté de se téléporter et de se rendre invisibles, les commandos avaient donc pour mission de scruter les intentions des humains. À leur détriment, ils devaient percer jusqu'aux mystères de leur inconscient. Originaires d'une lignée d'ethnies guerrières aux pouvoirs inimaginables et méconnus des Terriens, ils habitaient les plus hauts sommets de Vénus où l'air était pur et les lieux solitaires. La Nature à l'état sauvage intensifiait leurs pouvoirs. Pour améliorer leurs compétences et éviter toute forme de pollution mentale, ils s'entraînaient en moyenne cinq heures par jour, bondissants dans le ciel tels des aigles majestueux prêts au combat ultime. Personne n'était au courant de leurs pratiques et de leurs façons de méditer. Leur capacité de mémoriser un volume impressionnant d'informations, sans recourir à l'écriture, devait favoriser l'accomplissement de cette tâche, qu'on leur confiait sur Terre.

Le général présenta aux prospecteurs les chefs d'équipes chevronnés désignés pour les cinq continents de la Terre : l'Afrique, l'Asie, l'Australie, l'Amérique et l'Europe. Chacun d'eux devait former son groupe – composé du nombre de prospecteurs invisibles suffisants – pour la partie qui lui était assignée. Quant aux autres, ils resteraient en état d'alerte sur la planète Vénus.

— Sur Terre, poursuivit le général, chaque chef s'assurera, à l'aide de ses commandos, de couvrir tous les volets d'information. Je vous répète que vous avez trois mois pour accomplir cette mission.

Aux guerriers lui prêtant une oreille attentive, Ader présenta sans plus tarder Pargog, le géographe interplanétaire, et Teicos, le sociologue planétaire. Ces hommes étaient choisis pour leur expertise en matière de survie sur la croûte terrestre.

Pargog, l'allure joviale et la tenue décontractée, salua l'assemblée et s'avança avec nonchalance vers l'estrade. Il étira ses bras pour atteindre le haut du tableau, fixé sur un mur de plusieurs mètres, et y dessiner quelques croquis. Ensuite, en forçant sur sa voix timbrée, il s'adressa aux commandos :

— Votre capacité à vous rendre invisibles, à vous téléporter et à voyager à la vitesse de la lumière vous aidera grandement. Pour vous approvisionner, recherchez les lieux ayant échappé aux pouvoirs destructeurs des Terriens, comme les hauts sommets semblables à ceux auxquels vous êtes habitués. Vous bénéficierez ainsi de produits de consommation inaltérés qui n'auront pas besoin d'être cuits. Pour vous désaltérer, rien ne vaut l'eau fraîche et pure des cascades.

À l'aide de ses croquis, Pargog recommanda également aux prospecteurs de planer au-dessus de la mer au moins une journée par semaine :

— Pour vous ravitailler en énergie, vous devrez vous connecter aux forces de l'Univers. La Terre étant polluée à l'extrême, vous choisirez le point culminant d'une montagne où l'air sera acceptable.

Finalement, après avoir ajouté plusieurs autres conseils, il souhaita aux commandos un franc succès dans l'accomplissement de leurs fonctions. Sur ce, le géographe, avec un sourire en coin, réintégra son siège.

Considérant sa taille, Teicos, le sociologue, évita de monter sur l'estrade. Debout, face à l'assemblée, l'allure plutôt austère, et impatient de communiquer ses recommandations, il déclara d'emblée, en se raclant la gorge :

— Camarades, vos facultés de détectives seront amplement requises sur Terre. Il sera difficile, au début, de bien saisir les réflexions des Terriens, ces derniers voyageant constamment entre le passé et le futur, comme le balancier d'une pendule déréglée. Le présent, telle une infime boule de mercure, échappe à leur raisonnement et file entre leurs doigts. Cependant, votre détermination à en connaître davantage sur eux vous aidera. Soyez attentifs à leurs médias, même si ceux-ci manipulent l'information à leur guise. Les journalistes récupèrent et diffusent des informations qui circulent sur les sites Internet, sans vérifier leur véracité.

Les commandos, tout ouïe, annotaient leur copie du plan *Vénus mon amour*. Avançant de quelques pas, le sociologue leur proposa plusieurs stratégies :

— Je vous invite à vous rendre dans les ministères et à assister aux nombreuses réunions, souvent longues et futiles, où l'individu ordinaire n'a pas accès. Pour connaître les habitudes de la population, je vous conseille, en revanche, de vous rendre dans les lieux publics, comme les transports en commun, les magasins, les hôpitaux, les institutions financières, et aussi d'espionner les gens durant leurs activités sociales et réunions familiales. Naturellement, je vous demande d'observer le comportement des Terriens à l'égard de l'Environnement.

Les prospecteurs invisibles manifestèrent une certaine excitation à l'idée de percer les secrets des Terriens, enfin tout ce qui leur semblait encore nébuleux. Le général Ader, les traits tirés, demeurait conscient de l'envergure de cette expédition dont il n'était pas certain de l'issue. C'était la première fois que ses hommes devaient remplir une mission de cette ampleur. Il ajouta alors cette recommandation :

— Il est impératif de bien vous éparpiller sur le continent qui vous est assigné. Cela vous permettra d'obtenir des informations objectives sur les habitudes et les agissements des Terriens, et ensuite de les comparer d'une région à l'autre. Nous savons de source sûre qu'ils se dénigrent constamment entre eux, ce qui crée beaucoup de divisions. Leur devise semble être de se séparer et non de se rassembler.

La rencontre terminée, les prospecteurs rejoignirent leurs familles pour profiter d'elles avant leur départ. Ensuite, ils se préparèrent pour leur envol prévu le lendemain. Ils n'emportaient aucun bagage. Le départ eut lieu durant une fin d'après-midi un peu maussade, tandis que des nuages formaient une couche opaque dans le ciel, présageant un orage. Malgré l'éloignement de l'aéroport, les Vénusiens vinrent en grand nombre saluer les commandos sur le départ. Une mère, entourée de deux enfants en bas âge, essuyait ses larmes. Elle s'adressait aux personnes autour d'elle :

— Mon mari ne nous a jamais quittés. Il part maintenant pour une autre planète réputée dangereuse. Cela m'inquiète beaucoup et je crains pour sa vie.

— Madame, lui murmura un homme d'un certain âge, un sourire aux lèvres, tout se passera très bien pour eux, croyez-moi.

— Je le souhaite de tout cœur, répondit la mère inquiète.

Agitant les mains au-dessus de leurs têtes, d'autres résidants scandaient avec passion des « Merci de protéger Vénus! », « Revenez-nous vite! », « Nous vous aimons! » Des écrans électroniques géants affichaient des témoignages d'encouragement et des vœux de succès, adressés aux missionnaires de la part des habitants de la planète entière.

Les commandos prirent place dans des engins volants censés les déposer sur Terre. Ils devaient stationner dans des lieux bien enfouis qui échapperaient à la surveillance des Terriens. Sur place, ils communiqueraient entre eux par télépathie. La présidente Amikah, l'âme en peine de voir ces hommes partir accomplir une mission délicate, afficha un étrange rictus en direction du général Ader. D'une voix saccadée, elle lui chuchota :

— J'espère qu'ils nous reviendront fiers de leur mission.

— Je le souhaite autant que vous, Madame. Nous agissons pour une noble cause, celle de protéger Vénus contre d'éventuels envahisseurs. Il s'agit du bien contre le mal.

Puis Amikah salua les participants et retourna à ses bureaux.

***

La vie continua sur Vénus. À la suite de ces événements, les étudiants voulurent en apprendre davantage sur les Terriens et leurs intentions malveillantes. Ils devinrent très assidus dans leurs cours d'histoire et de sociologie. Les bibliothèques de leurs quartiers regorgeaient de volumes passionnants sur le sujet. Les familles des prospecteurs envoyés sur Terre reçurent régulièrement la visite de responsables de l'armée. Ces derniers avaient la responsabilité de veiller sur leur bien-être, ce qui n'empêchait pas les familles de compter les jours qu'il restait avant de revoir leurs proches. L'été arriva et les journées s'étirèrent, au grand bonheur des résidants de Suneva. Des effluves de plantes aromatiques flottaient subtilement dans l'air. Le ciel, d'un bleu azur le jour et étoilé la nuit, embellissait le quotidien des Sunevains. Les grandes chaleurs poussaient parfois ces derniers à changer leurs habitudes de vie. Le soleil à son zénith les confinait chez eux, sauf quand ils devaient se ravitailler, ou qu'ils avaient l'occasion d'aller se baigner dans la mer. Quand c'était le cas, le littoral leur offrait d'innombrables petites criques paradisiaques, au sable doré et aux eaux transparentes. Les forêts plus retirées servaient quant à elles d'abri aux imprévoyants, durant les heures ensoleillées et chaudes. De superbes pins résineux y embaumaient de leur parfum suave les promeneurs. Le soir, par contre, quand l'astre de feu s'éteignait, qu'il se refroidissait pour mieux briller le lendemain, la ville reprenait vie. Les rues s'animaient de monde. Certains se prélassaient sur les terrasses en sirotant tranquillement des boissons rafraîchissantes, tandis que d'autres déambulaient sur les trottoirs illuminés par de grands lampadaires. Ces derniers attiraient indéniablement de minuscules insectes noctambules qui tournoyaient en lançant leurs vrombissements. Les boutiques restaient ouvertes tard le soir, à la grande joie des femmes qui s'adonnaient au lèche-vitrine. Ceux qui aimaient découvrir de nouvelles régions échangeaient leurs logements avec d'autres familles qui venaient se délecter des charmes de Suneva.

Pendant que la saison estivale offrait des moments de plénitude à l'ensemble de la population, le général Ader demeurait sur un pied d'alerte. À force de relire son plan tout en visualisant ses tactiques de défense, il finit par le connaître sur le bout des doigts. Cela exigeait de lui des heures de concentration. Il rencontrait la présidente régulièrement pour lui communiquer les nouvelles qu'il recevait en continu des commandos en mission sur Terre. La présidente, aux prises avec des tensions au plexus solaire – causées par l'inquiétude –, s'efforçait de paraître calme devant le général. Elle savait qu'elle pouvait se fier à lui. Elle le considérait comme un stratège pondéré, bien que redoutable.

Quand les trois mois furent écoulés, les prospecteurs revinrent sur Vénus. C'était le début de l'automne et les arbres feuillus déployaient fièrement leurs couleurs chaudes. Malgré l'amoncellement de petits nuages qui promettaient une giboulée, le Conseil de sécurité, les familles et le peuple attendaient fébrilement les commandos, à l'endroit même où ils étaient partis. Quand ils sortirent de leurs vaisseaux, la foule en liesse les entoura et il devint vite difficile de les approcher. Accueillis en héros, les prospecteurs reçurent de vives félicitations et de chaleureuses poignées de main de la part du général Ader et de leur chef Ossassau. Constatant que personne ne manquait à l'appel, ce dernier poussa un soupir de contentement. Le crépuscule obscurcit subtilement les lieux et accéléra la fin de l'événement. La foule nonchalante se dispersa emportant avec elle des murmures de satisfaction. Les commandos, les traits tirés, regagnèrent alors leurs maisons, à l'exception des responsables de groupes. Le cœur battant, ces derniers suivirent le général dans son bureau afin de communiquer en toute sécurité les informations qu'ils rapportaient. Celles-ci furent retranscrites sur des disquettes à l'épreuve des intempéries, ce qui nécessita plusieurs heures de travail. Une fois cette tâche achevée, le général Ader rangea les documents contenant les renseignements en lieu sûr et, avec un coup d'œil complice à Ossasau, il lança aux cinq chefs présents :

— Toutes mes félicitations! Vous m'accompagnerez à la réunion spéciale du Conseil de sécurité. J'ai vraiment hâte de tout savoir.

Comme il se faisait tard, les sept hommes se quittèrent cordialement. Encore sous l'emprise de l'excitation, les commandos ne s'attendaient pas à dormir cette nuit-là, mais ils étaient heureux de pouvoir bénéficier néanmoins d'un peu de repos. Ils savaient pertinemment que la présidente Amikah et les membres du Conseil de sécurité les attendaient pour recevoir les informations tant souhaitées.

Le lendemain matin, le silence planait dans la salle où la présidente, sa secrétaire, son conseiller et les membres du Conseil de sécurité attendaient fébrilement les commandos. Ils arrivèrent enfin et, dès leur entrée, furent applaudis chaleureusement. Les dirigeants des autres pays vénusiens participaient à la réunion, comme d'habitude, grâce aux écrans électroniques. Les cinq chefs de groupes prospecteurs prirent place aux côtés du général Ader. Amikah, quelque peu avide de tout savoir, frotta nerveusement son sourcil gauche de sa main droite. Puis, assumant le rôle de Diffah, son conseiller et président de réunion, elle annonça l'ouverture de la séance. Elle ordonna ensuite au général de procéder. Celui-ci acquiesça par un long cillement de paupières :

— Comme vous le savez, dit-il, chaque chef commando représentait un continent en particulier.

Puis, croisant les bras sur la table, il lança avec assurance et un brin d'ironie dans la voix :

— Les quelques informations recueillies par nos héros prospecteurs invisibles ne semblent pas encourageantes. Le mode de vie des Terriens prédateurs est à éviter. Cela ne surprendra donc personne que la Terre soit en voie de disparition. Nous ne pouvons les plaindre, car ils en sont responsables. Effectivement, il semble que les Terriens qui détiennent un certain pouvoir financier souhaitent s'installer chez nous. Certains poussent même leur audace jusqu'à vouloir s'approprier des puissances politiques et, par la même occasion, transformer notre planète à leur guise. Ils sont animés du désir de venir nous coloniser, mais ignorent tout de nous et nous sous-estiment. Je tiens à vous rappeler aussi que les données recueillies sur les habitants de chaque continent sont enregistrées sur des disquettes placées sous haute sécurité.

Le général Ader invita ensuite le chef des commandos de l'Europe à prendre la parole. Celui-ci, d'une voix posée, rapporta :

— Moi et mes compagnons avons constaté les mêmes aberrations sur la planète Terre. Toutefois, elles s'expriment différemment selon les régions. Je ne citerai que les plus importantes en ce qui concerne la question écologique et je les classerai par chapitres pour l'ensemble des continents. Nous avons pu remarquer que les Terriens avaient tendance à vouloir dominer leur Environnement, étant incapables de vivre en harmonie avec lui. Pour le soumettre à leur voracité, ils se sont éloignés de leurs précieux dons. Au lieu d'obéir aux lois de la Nature, ils préfèrent les transgresser. Ils essaient, entre autres, de stopper les nuages porteurs de pluie, dans le but de protéger des activités de loisir organisées à des dates précises. Leurs choix les conduisent constamment vers la perdition au sens large du terme. L'air des grandes villes devient irrespirable. Ces dernières sont étouffées par la pollution causée par les gaz d'échappement de leurs nombreux véhicules. Cette dégradation de l'air gagne les banlieues et les campagnes. Elle affecte les bronches et les poumons des personnes qui les inhalent. Dans les quelques tours de bureaux que nous avons inspectées, aucun système d'aération ne nous a paru adéquat. Toutes les baies vitrées étant scellées, les personnes qui travaillent dans ces lieux plusieurs heures par jour respirent l'air vicié qui circule à travers les bouches d'aération intérieures. Certains protagonistes incitent intelligemment les citoyens à utiliser les transports publics pour se déplacer, mais ces mêmes responsables favorisent le subventionnement des fabricants de voitures pour pousser à la consommation. Monnayant ainsi leur intégrité, ils utilisent la promotion radiophonique et télévisée pour inciter les gens à acheter des automobiles. Ces publicités montrent des voitures roulant à des vitesses bien supérieures à celles autorisées, ce qui influence la population à enfreindre aussi le Code de la route et explique le nombre important d'accidents de voiture sur la Terre. Nous avons aussi relevé un nombre élevé de véhicules chez les particuliers : jusqu'à trois par familles. Comment l'air peut-il être respirable dans un tel contexte? Par ailleurs, les Terriens condamnent les fumeurs de cigarettes qui déambulent sur les trottoirs, les accusant de tous les maux. La hauteur de certains édifices est telle qu'elle empêche le soleil de pénétrer leurs rues et leurs demeures, comme de réchauffer et assainir l'atmosphère. La nuit, par contre, aveuglées par l'illumination exagérée des grandes villes, les étoiles ne scintillent plus dans le ciel. Même la lune, indignement outragée, se cache régulièrement derrière les nuages. La mort de cette planète semble imminente. Mais à cet égard, les

Terriens dénient totalement leur responsabilité et leur non-respect de la Nature sous toutes ses formes. Il semblerait que leur état d'esprit soit uniquement axé sur le profit.

Après quelques gorgées d'eau, le chef relié au continent européen poursuivit :

— Le mode de pensée des Terriens est étrange. Les dirigeants de leurs pays, appelés présidents, se comportent comme des rivaux invétérés. Ceux qui vivent dans la peur de se voir agresser par les autres construisent des engins sophistiqués et de lourds armements qui, en plus de massacrer potentiellement des vies, font trembler les piliers de la Création. Chacun gouverne seul, rejetant du revers de la main toute proposition menaçant son confort. Ce qui revient à dire qu'une minorité de gouvernants, pour défendre leurs intérêts personnels, décide du destin des autres peuples de la Terre. Plus des deux tiers de la richesse de la planète entière leur appartient. Ils ont le pouvoir de convoiter un État et de l'envahir uniquement pour le spolier, sans subir de conséquences préjudiciables. Pour empêcher une nation de bénéficier d'une trop importante expansion économique, ces dirigeants dépêchent des espions qui sèment la discorde au sein de cette population dans le but de la déstabiliser. Des guerres civiles et fratricides en résultent parfois. Les dommages économiques sont tels qu'ils retardent considérablement le développement de ces pays. Les pertes humaines témoignent de cet effroyable gâchis auquel conduit inévitablement la course effrénée au profit matériel. Ces mêmes dirigeants allouent aussi à leurs propres agriculteurs des subventions afin de mieux boycotter les produits bruts locaux de certaines régions qu'ils nomment parfois « pays pauvres » et d'autres fois « pays en voie de développement ». De cette façon, ils obligent ces derniers à abandonner leurs cultures et conséquemment à acheter leurs produits à un prix exorbitant. Ils ne peuvent accepter les échanges.

Le chef gesticulait et insistait pour montrer son indignation, tandis que d'autres membres opinaient de la tête. Les yeux baissés, la présidente écoutait avec grand intérêt tout ce qui était communiqué :

— Mes camarades et moi-même, continua le chef commando, sommes décontenancés par cette inconduite. Nous sommes d'avis que cette façon de faire est inacceptable. L'appauvrissement de nombreuses populations, incluant celles des pays industrialisés, semble découler de ces principes. Les Terriens utilisent de l'argent pour subvenir à leurs besoins les plus vitaux et avoir accès à des services publics. Leur système bancaire ne vaut guère mieux que le reste. Il défavorise les plus démunis et enrichit les mieux nantis. Il existe certes des sociétés qui ont mis en place un ensemble de règles plus respectueuses, basées sur des valeurs fondamentales. Cependant, nous sommes formels : la convoitise, engendrée par l'amour du gain, prédomine chez les Terriens de toutes les classes. En favorisant constamment les mieux nantis, leurs institutions juridiques et leurs lois sont souvent injustes. Les individus qui volent l'État et dépouillent le peuple ne sont à aucun moment contraints de rembourser ce qu'ils ont dérobé. La plupart d'entre eux représentent l'élite de leur nation et sont au-dessus de tout soupçon. En se faisant passer pour des victimes durant leurs procès, ils parviennent aisément à déjouer le processus judiciaire. Et pour couronner le tout, ils perçoivent de fortes sommes d'argent en dédommagement. On pourrait qualifier leur système politique de décadent. Ceux qui ont prêté serment de protéger leur peuple contre les transgresseurs sont souvent loin de compter parmi les personnes les plus honorables. Pour s'éviter les blâmes que pourraient leur attirer les accablantes infractions qu'ils commettent, ils abusent de leurs pouvoirs et nuisent à d'honnêtes citoyens. Ils n'hésitent aucunement à se parjurer en les menaçant ou en tentant de les corrompre à leur tour. Et que dire de leurs confrères qui osent les dénoncer? Et bien, ils leur causent de lourds préjudices. Même ceux qui occupent des fonctions pour le maintien de l'ordre public sont loin d'être blancs comme neige.

Le commando informa également l'assemblée sur le fait qu'un nombre élevé de sociétés se faisait manipuler par certains médias. Trop nombreux, les employés de la médiasphère travailleraient pour des groupes dominants ou des dictateurs – moyennant fortes rémunérations –, qui leur dicteraient l'information à diffuser. En déformant sciemment la réalité, ils sèmeraient ainsi la discorde au sein des populations pour mieux asseoir leur puissance. En effet, ces médias semblaient avoir un ascendant malsain sur la population. L'inculture de certains chroniqueurs se révélait déconcertante, au point où l'on se demandait s'il s'agissait vraiment de journalistes professionnels. Une poignée de citoyens usaient certes de leur liberté d'expression pour dénoncer quelques rares absurdités, mais, en règle générale, c'était pour injurier et railler amèrement leurs semblables en les accusant de tous les maux. Ils manquaient visiblement de courage et n'assumaient jamais leurs responsabilités.

Les commandos-prospecteurs se dirent surpris d'avoir pu observer des habitants, même peu nombreux, pleinement conscients et inquiets de la destruction de leur planète. Malheureusement, ceux-ci ne semblaient pas jouir de la considération de leurs proches. Les médias oubliaient volontairement de rapporter leurs propos. Selon les commandos, les Terriens, dans leur ensemble, avaient perdu la faculté de penser par eux-mêmes. Ils pouvaient être classés en deux groupes : les manipulateurs et ceux qui se laissaient manipuler avec complaisance. La liste des faits allant à l'encontre de toute éthique grandissait à vue d'œil.

Un autre chef commando prit alors le relai. Doté d'une personnalité énergique, il enchaîna à voix haute :

— Je suis aussi troublé que mes compagnons par l'injustice et l'inégalité et j'ajouterai qu'il s'agit d'une généralisation de la situation sur Terre. Il existe également des sociétés, dites riches et civilisées, mais, elles souffrent quant à elles de maladies liées à la surconsommation d'aliments, l'inculture et l'absence de solidarité. Cette contamination semble gagner d'autres sociétés. Une féroce compétition contribue au malêtre des gens, mais les malfaiteurs refusent de regarder la réalité en face. C'est à vous glacer le sang. La concurrence déloyale profite à un petit groupe d'individus au détriment de tous les autres. Ces derniers craignent de s'affirmer et, par ricochet, de perdre leur emploi et de ne pouvoir rembourser leurs dettes. Il arrive souvent qu'un employé subisse du harcèlement de la part d'un supérieur hiérarchique incompétent ou avide de pouvoir, et qu'il en soit perturbé jusqu'au plus profond de son âme. D'innombrables Terriens vivent dans la crainte. Nous avons eu du mal à cerner leurs comportements qui, selon nous, sortent du cadre des valeurs de base. L'individualisme a remplacé l'altruisme. Une famille bien nantie ne voudra rien savoir de celui qui rame pour se sortir du trou noir dans lequel il y a été plongé malgré lui. L'incapacité d'exprimer leur mécontentement ouvertement puise ses origines dans la frayeur démesurée qu'ils ont de se voir dépossédés de leurs biens. En revanche, usant de tribunes téléphoniques que les médias se délectent de mettre sur pied, ils crient et crachent, sous le couvert de l'anonymat, des insanités à leurs semblables plus vulnérables et, bien entendu, sans défense. En usant de poltronneries, ils défoulent leurs pulsions réprimées sur les autres. Et pour compenser leurs insuccès, ils prennent soin de cibler un groupe d'individus sur lequel ils peuvent se défouler. Ensuite, ils en trouvent un autre et lui font porter à nouveau le fardeau de leurs problèmes, de leurs échecs, etc. Vingt ou trente ans plus tard, ils demandent à être pardonnés pour les préjudices qu'ils ont engendrés. L'usage excessif de drogues variées et d'alcool anesthésie pour un laps de temps leur insécurité et leurs frustrations, tout en ravageant leurs cerveaux et leur raisonnement. Ce fléau, ancré dans leurs mœurs, accélère la destruction de la Terre. Les Terriens convoitent avec hargne ce que possèdent leurs voisins, sans égard pour l'Environnement. Ils cherchent par tous les moyens à élever leur niveau de vie. Leurs comportements se détériorent davantage par l'usage de la déprédation. La corruption et les fraudes à tous les niveaux sont devenues monnaie courante. Elles constituent une véritable pandémie. C'est tout juste si un concours ne couronne celui qui vole ou fraude mieux que son voisin. L'utilisation de faux diplômes universitaires pour accéder à une échelle de salaire supérieure, ou encore de contrats frauduleux pour l'obtention de privilèges et de subventions gouvernementales, sont une habitude, chez les Terriens.

La présidente Amikah se leva soudainement de son siège pour arpenter la salle. Elle se tordait les mains tout en écoutant le récit du chef commando qui ajouta :

— Le pouvoir et la mauvaise gestion de l'argent font que les Terriens payent pour emprunter les transports en commun. L'endettement de certaines sociétés indique que leur consommation dépasse de loin leurs revenus.

Le chef commando saisit son verre d'eau et le but d'une traite. Se raclant la gorge, il poursuivit :

— Mes confrères et moi sommes étonnés par les connaissances erronées des Terriens. Elles conditionnent leurs attitudes qui ne cadrent pas avec nos valeurs. Ils insultent sans répit ceux qu'ils ne peuvent affronter. Nous avons été témoins, dans des classes de première année de certains pays, de situations où les enseignants affichaient leur xénophobie devant leurs jeunes élèves. Se basant sur l'idéologie fondée sur la croyance qu'il existe certaines races supérieures destinées à dominer les autres, les Terriens ont inventé des subdivisions de races à l'intérieur de l'espèce humaine. Niant une partie d'eux-mêmes, ils rejettent leurs semblables. Pour justifier leur déni, ils se basent sur la différence de la couleur de peau. Certains, dont l'épiderme est noir, n'aiment pas ceux dont la coloration est pâle. L'inverse est aussi vrai. Mais il n'y a pas que la couleur de l'épiderme qui justifie leur racisme. L'appartenance ethnique, le groupe culturel, l'âge, posent aussi problème pour eux. Par exemple, certaines personnes plus âgées manifestent des préjugés défavorables à l'égard des plus jeunes, et vice-versa. L'orientation sexuelle, les croyances religieuses, la taille, la langue maternelle, l'accent, la classe sociale, le pays de naissance, la corpulence, la tonalité de la voix ou la texture des cheveux, l'habillement, le style, le physique, le quartier de résidence, et j'en passe : tout peut être prétexte à l'intolérance. Je qualifierais les

Terriens d'incongrus. Il nous a fallu bien de l'ingéniosité pour mieux les cerner. Profitant de la vulnérabilité de parents désireux d'avoir des enfants à n'importe quel prix, des hommes vendent leur sperme et des femmes leurs ovules. Se faisant, ils se soucient peu du phénomène des demi-frères et des demi-sœurs pouvant pousser comme des champignons dans la Nature. L'union de ces derniers, qui ignorent leurs origines, risque d'engendrer des enfants affectés de tares irréversibles. Le droit à la dignité de nombreuses femmes est également brimé par certains hommes, au nom d'une suprématie qu'ils s'accordent.

L'infatigable commando débitait ces informations avec indignation. Au fur et à mesure qu'il s'exprimait, tout devenait clair pour l'assemblée suspendue à ses lèvres.

— Certains groupes de Terriens, poursuivit-il, forment des sectes et réagissent avec violence aux injustices que leurs peuples subissent. En assassinant des innocents, ils justifient l'oppression et portent préjudice aux personnes de leurs communautés. D'un autre côté, des pays en agressent d'autres à l'aide de bombes, au nom de la prévention d'une éventuelle attaque qu'ils craignent et qui, peut-être, demeure injustifiée. Voulant imposer à d'autres nations leur mode de vie, faire main basse sur leurs richesses et mieux les contrôler, ils tuent à leur tour encore plus d'innocents en prétendant instaurer la démocratie. Et ils le font en usant d'armes de destruction massive prohibées, donc non conventionnelles. Des hommes, des femmes et des enfants meurent, alors qu'ils aspiraient simplement à vivre. Ce qu'ils appellent « démocratie » n'est à nos yeux qu'une forme de dictature camouflée. De plus, cette démocratie n'est même pas appliquée par leurs systèmes politiques où des groupes minoritaires subissent des injustices flagrantes et insoupçonnées. Leurs prisons regorgent de personnes condamnées à purger de lourdes peines sans aucune preuve de culpabilité et dans des conditions peu enviables. Il arrive souvent que ces gens soient privés de visites et de soutiens. Des présidents se confortent en tant que pions à la solde d'autres. Ils usent de leur despotisme pour empêcher leur peuple d'exprimer ses besoins, pendant qu'ils se remplissent les poches d'argent. Il existe encore des pays spoliés par d'autres. Leurs présidents font endurer les pires traitements à leurs populations, sans qu'ils soient critiqués par les autres nations. Ces dernières protègent malheureusement leurs fondamentalistes religieux, qui prolifèrent et risquent d'être plus radicaux que ceux qu'ils dénoncent. Des individus s'arment jusqu'aux dents pour se protéger de leurs voisins. Nous craignons que cet état d'esprit conduise à un moment donné à une guerre mondiale.

L'audience manifesta au plus haut point son indignation, mais le chef de groupe n'avait pas fini de l'étonner. Il poursuivit son témoignage ainsi :

— Prêts à tout pour leur réussite sociale, les Terriens justifient leurs comportements pervers comme étant « un moyen de survie ». Les personnes âgées, dans certaines sociétés, ne jouissent plus du respect qui leur revient. Les familles qu'elles ont pris soin d'élever avec amour et abnégation, dans le confort et la décence, convoitent leurs économies. Des adultes désaxés hypothèquent l'innocence d'enfants vulnérables. L'usage d'Internet empêche une communication directe, normale et saine entre les êtres, comme il appauvrit l'apprentissage. Il ampute considérablement le quotient intellectuel de celui qui en dépend, malgré toute l'information qu'il met à sa disposition. Il donne libre cours à la haine, aux sentiments vulgaires et aux distorsions cognitives. Nombreux sont ceux qui s'en servent pour sombrer dans l'avilissement et la perversité, pris dans le piège de la recherche incessante et facile de nouveaux plaisirs. Le rôle de la télévision s'est considérablement affaibli, également. Des messages publicitaires, prenant de plus en plus de place, incitent les populations à surconsommer au lieu de les sensibiliser à la modération. Seules quelques rares petites nations sont épargnées par cet état d'esprit axé sur le profit et la consommation effrénée. Partout ailleurs, les valeurs familiales laissent à désirer. Bernés par l'illusion de la vie éternelle, les Terriens semblent ignorer qu'ils sont condamnés à mourir un jour ou l'autre. L'individualisme les consume à petit feu et le narcissisme engourdit leur raisonnement. Nous avons été frappés de constater combien rares étaient les gens sereins. En conclusion, il est clair que les Terriens sont aux prises avec un vrai malaise existentiel leur occasionnant des torts irréversibles.

En réaction à ce discours, Amikah, la respiration haletante, se leva précipitamment et ordonna la suspension de l'audience pour le reste de la journée :

— Nous poursuivrons demain matin, dès 8 h.

Les membres se dirigèrent alors vers une cafétéria privée, à proximité de la salle de réunion, d'où émanait des effluves de thé à la menthe poivrée et de café corsé. Des pâtisseries alléchantes les y attendaient. Profitant de cette ambiance chaleureuse, Amikah s'informa sur les familles des participants. Puis elle s'adressa au commandant des prospecteurs invisibles :

— Monsieur Ossassau, vous me semblez songeur. À quoi pensez-vous?

Celui-ci, le visage rouge de colère sous sa barbe n'attendait visiblement que ça. Les poings levés et d'une voix tonitruante bien qu'étouffée par le morceau de gâteau qu'il n'avait pas encore fini de mâcher, il suggéra :

— Madame la Présidente, pourquoi attendre? Ne serait-il pas préférable de les attaquer maintenant? Le plus tôt serait le mieux! Nous devons les éliminer!

— Je ne veux pas opter pour cette stratégie, comprenez-moi! Je vous le dis : je refuse d'emblée de déclencher une guerre.

— Mais, Madame! Nous sommes menacés. Hâtons-nous!

— Sans le moindre doute! Cependant, nous devons tempérer nos ardeurs. Il s'agit d'une situation qui mérite longue réflexion.

Les autres membres semblaient approuver la suggestion de leur confrère. La présidente s'adressa alors au chef des nouvelles :

— Quel est votre avis, Monsieur Raffadj?

— Eh bien, moi, Madame, je préfère attendre la suite des événements avant de me prononcer définitivement. Cela n'exclut pas ma consternation devant l'irrespect voué à la Création.

Le général Ader, les narines pincées, ne cacha pas sa fébrilité. Il déposa sa tasse de café pour mieux intervenir :

— Si notre plan fonctionne comme nous l'avions prévu, je peux vous assurer du sort réservé à cette cohorte de Terriens indisciplinés. Ils ne perdent rien pour attendre. Je souhaite que Dame Nature leur réserve elle-même un châtiment digne de ce nom.

La nuit fut longue pour la présidente. Avant que le sommeil ne la gagne, elle repassa dans sa tête tout ce qui s'était dit sur le comportement des Terriens. Elle ne pouvait croire que certains d'entre eux laissaient libre cours à leurs instincts féroces au point de détruire froidement l'innocence radieuse d'êtres sans défense.

Le lendemain matin, un autre chef commando poursuivit le récit de son prédécesseur en insistant davantage sur la question écologique :

— En oubliant que la Nature existait avant eux, et en dénigrant leur lien avec elle, des Terriens, à la recherche constante de profits, font souffrir leur planète sans le moindre remord. Agissant indéniablement comme de redoutables prédateurs, ils outragent l'Environnement, lui recrachant tous leurs détritus en les enfouissant au plus profond de son être. Je précise que cela concerne surtout certaines populations : celles qui assassinent sans aucune compassion des arbres, même ceux qui sont cachés dans des régions presque inaccessibles. La voracité de certains propriétaires terriens conduit à une déforestation massive et violente, opérée par d'abominables tronçonneuses. Se comportant comme des anarchistes, des rois et des maîtres de la Nature, certains Terriens jettent leurs déchets nucléaires dans les océans de pays moins nantis. Les engrais chimiques qui polluent les cours d'eau et les rivières finissent également dans la mer et grugent en silence la faune marine. Le mazout, déversé par les bateaux, assaille le monde sous-marin et tue d'innombrables poissons en même temps que les oiseaux qui s'en nourrissent. Ceux qui survivent demeurent très vulnérables ou agonisants. Des groupes d'individus, toujours appâtés par le gain, s'adonnent à la pêche de certaines espèces en voie de disparition, dans le seul but de satisfaire les caprices alimentaires de ceux qui les réclament. Pour le simple plaisir de rapporter un souvenir, des touristes agressent les récifs coralliens en mutilant leurs branches, ce qui dénude partiellement l'abondante faune aquatique d'antan.

Des lacs, également souillés, crient leur souffrance. Sur la terre ferme, les détritus de plastique dépassent en nombre les organismes vivants. Les volatiles les confondent avec lesdits organismes et meurent empoisonnés. Plusieurs kilos de déchets par Terrien sont annuellement jetés dans les océans et leur quantité augmente toujours. La nappe phréatique est quant à elle contaminée par divers polluants. Détruisant les insectes au nom de l'assainissement, les habitants de la Terre feignent d'oublier que ces derniers contribuent au maintien de leur écosystème, donc de la vie. Il nous semble évident que les Terriens entretiennent une relation fragilisée avec la Création. Ils précipitent la disparition d'oiseaux rares, par exemple, en s'adonnant à leur commerce. Ces oiseaux, ne résistant pas longtemps à la captivité, se laissent mourir. En larguant des bombes sur leur planète, les Terriens font disparaître des lieux historiques et ils perturbent l'Environnement tout entier. En réaction, celui-ci s'est souvent exprimé par des raz de marée, des tremblements de terre, des tornades et autres catastrophes. Mais les habitants de la planète ont toujours dédaigné ces messages de la Nature. Le réchauffement de la planète Terre laisse présager une catastrophe d'une ampleur inégalée. Les variations climatiques ne réussissent pas à freiner les Terriens dans leur course folle pour le profit, pourtant si éphémère. Les pays les plus pollueurs refusent de faire le moindre effort pour diminuer les émissions de gaz à effet de serre. Bien que sur le point de disparaître, les Terriens demeurent indéniablement de puissants prédateurs. Ce n'est pas la Terre qu'ils veulent sauver, mais bien leurs gains personnels. Ils refusent de concevoir qu'ils sont simplement de passage sur leur planète, qu'ils sont des invités de courte durée qui se doivent de respecter tout ce qui les entoure. Sous l'effet de leurs cocktails de pesticides déversés dans les champs de culture, des milliards d'espèces tombent inanimées. Ces produits chimiques, nuisibles aux cultures comme aux animaux, affectent le cerveau des abeilles qui ne reconnaissent parfois plus leurs ruchers. C'est ainsi que ces précieux insectes disparaissent par millions, ce qui menace la pollinisation et ne peut que conduire à l'extinction de la vie. La dégradation évidente de cette planète, jumelle de Vénus, nous trouble grandement. Et son altération inquiétante n'est malheureusement pas prête de s'arrêter.

Le chef commando fit une pause et, après quelques secondes de chuchotements des membres de l'assemblée, il continua :

— Des pandémies, méconnues sur Vénus, ne semblent pas remettre en question le mode de vie de ces esprits butés. Une maladie courante, entre autres, appelée cancer, ravage la santé de nombreux Terriens.

Les chercheurs émérites ne parviennent toujours pas à freiner ce fléau. Le stress et la pollution étant omniprésents, les infarctus se multiplient, les désordres du cerveau prolifèrent, et les frustrations et ressentiments frisent la pandémie. Cependant, par crainte de devoir assumer leurs responsabilités, les Terriens se gardent de mettre le doigt sur les causes véritables de ces maladies, très évidemment en lien avec tous les comportements inadéquats que nous avons évoqués. Ils baignent dans un air pollué. Au lieu de se nourrir, ils se goinfrent de mauvais aliments. D'autres, par contre, ne mangent pas à leur faim. Ces individus ont de sérieux problèmes d'éthique. Ils vont jusqu'à monnayer leur intégrité. La perte de leur créativité ne les tourmente pas outre mesure. Ils en oublient même l'existence. Nous demeurons profondément inquiets par ce que nous avons observé et par ce que nous ont rapporté nos spécialistes de l'Environnement. L'abattage excessif d'arbres résulte du gaspillage de papier et d'objets futiles utilisés par les citoyens. Vaporisés inlassablement de produits nocifs, ces arbres souffrent de maladies complexes qui les mènent inévitablement à la mort. Les végétaux, négligés et maltraités, vont bientôt cesser d'offrir sans retenue ces biens les plus précieux : l'oxygène, l'ombre et les paysages somptueux aux feuillages variés. Une catégorie de conifères sert de décoration dans les maisons durant l'époque festive de la fin de l'année. Malheureusement, une fois les fêtes terminées, ces arbres jonchent les trottoirs pour être sacrifiés. L'état actuel de la forêt amazonienne témoigne de son extinction lente. Sa végétation luxuriante perd du terrain. Les îles Galápagos ont perdu de leur panache, depuis que les Terriens les ont foulées. Le sable des océans ne résiste plus à leur gloutonnerie quand ils construisent des édifices de plus en plus sophistiqués défiant par la même occasion la sécurité des occupants. Leur dragage blesse les récifs coralliens et agresse une fois de plus les organismes vivants qui y demeurent. Les habitants de la Terre commercialisent des produits toxiques pour nettoyer leurs demeures et même pour purifier l'air qu'ils respirent. Cela constitue, à notre avis, une aberration. En polluant l'atmosphère, ces produits nocifs leur causent des allergies graves et concourent au réchauffement de leur planète. Des individus arrosent en plein soleil leurs pelouses ou lavent leurs voitures même si le temps annonce un orage. Ogres matérialistes à jamais inassouvis, des peuples entiers se livrent à des débauches de consommation, pendant que d'autres, pour apaiser leur faim, se contentent de leurs restes. Près d'un milliard d'humains sur Terre souffrent de faim. Nous avons côtoyé des personnes démunies, n'ayant plus rien à se mettre sous la dent, même dans des pays dits riches. Certains vivent dans la rue. En plein hiver, lorsque la température descend sous zéro, ne pouvant plus braver le froid, ils cherchent désespérément des abris. Ils se réfugient parfois dans le métro, lorsqu'ils parviennent à défier les gardiens de sécurité. Les endroits décents mis à leur disposition suffisent de moins en moins à combler la demande. Par ailleurs, les producteurs agricoles n'accordent plus aucun répit aux légumes qu'ils stimulent toute l'année avec des produits chimiques, sans tenir compte des saisons. La valeur nutritive des aliments est appauvrie et les consommateurs en font les frais. Ensuite, pour combler leurs carences en éléments indispensables à l'organisme, les Terriens recourent à des suppléments de synthèse. Il leur suffirait pourtant de nettoyer la Terre de tous les pesticides et de réfléchir ensuite à une alimentation équilibrée pour éviter cette consommation compensatoire douteuse. Leur modèle de croissance révèle une faille qui s'agrandit de jour en jour.

Le commando-prospecteur invisible termina par ces mots :

— Toute la journée ne suffirait pas pour vous rapporter nos nombreux témoignages. Au bout du compte, nous confirmons la résolution des Terriens à conquérir notre planète. Leurs recherches acharnées, durant des années, se sont avérées fructueuses : ils ont fini par découvrir qu'il existait une vie ailleurs que sur la Terre. Ils savent maintenant que nous existons, mais ignorent tout de notre civilisation, qui est bien supérieure à la leur. La construction de vaisseaux, par des individus isolés, est la preuve irréfutable de leur intention de nous envahir. Il s'agirait d'un groupe d'environ mille personnes gérant les coffres des nations à leur guise. Ils incitent déjà leurs semblables à réserver des places pour un éventuel voyage sur Mars, les trompant délibérément. Et, naturellement, ils exigent d'eux des sommes exorbitantes sous forme d'acomptes.

Le chef commando rejoignit son siège et le général Ader demanda aux autres chefs de groupes s'ils souhaitaient ajouter quelque chose. Voyant qu'ils restaient silencieux, l'assemblée les applaudit chaleureusement. La séance levée, la présidente Amikah s'efforça de sourire aux membres et, avant de se retirer, elle s'adressa au général :

— Je vous invite à me rejoindre, demain matin, dans mon bureau. Je veux prendre connaissance de la totalité des informations répertoriées sur les disquettes.

— Vous pouvez compter sur moi, Madame.

***

Le lendemain matin, le général Ader se rendit donc au bureau d'Amikah où celle-ci l'attendait avec impatience. « Enfin, vous voilà », lui dit-elle en refermant la porte derrière lui. Devant eux, une vaste vitre offrait une vue panoramique de la mer et des montagnes. Amikah pria le général de s'asseoir à une petite table ronde en face d'elle. Puis, elle lui présenta une cafetière fumante qui répandait son arôme dans toute la pièce.

— Servez-vous. Je sais que vous êtes un amateur de café. Quant à moi, j'avoue que je ne peux rien avaler. La situation ne semble pas reluisante pour les Terriens, poursuivit-elle d'une voix voilée qui trahissait son inquiétude. Il va sans dire que cela renforce nos craintes. Je ne souhaite, pour rien au monde, les voir débarquer chez nous.

Ader approuva ses propos d'un hochement de tête :

— Pensez-vous, Madame, que notre peuple le veuille? Bien sûr que non.

Amikah se leva promptement et, revenant vers la table pour y taper discrètement des poings, elle affirma :

— Nous devons les empêcher de fouler le sol de Vénus. Ils me paraissent indignes de venir, même comme visiteurs. Le compte-rendu sur leurs comportements me suffit pour avancer qu'ils agissent en conquérants. Je vous demande, Général, de préparer un plan stratégique qui freinera leurs ardeurs.

— Madame la Présidente, cette situation hante mes nuits.

— Nous n'attaquerons pas la Terre, afin de l'épargner, elle et la minorité de ses habitants qui la respectent. À vous de jouer!

— Vous pouvez compter sur moi, Madame, je ferai l'impossible.

— Général, j'attends de vous une tactique de défense pour protéger Vénus qui n'implique pas le recours aux armes militaires.

— Je vous soumettrai un plan sous peu.

Le général Ader travaillait depuis plusieurs jours avec les chefs Ossassau et Raffadj sur une logistique censée neutraliser les pensées malveillantes des Terriens à l'égard de Vénus. Insatisfaits par plusieurs des méthodes qu'ils avaient élaborées, ils décidèrent de s'accorder quelques heures de repos. De retour dans leur salle de travail avec les idées plus claires, les trois hommes s'entendirent sur une tactique astucieuse à leurs yeux. Malgré la hâte qu'ils avaient de la soumettre à la présidente Amikah, ils l'étudièrent sérieusement durant plusieurs heures.

— Qu'en pensez-vous, s'enquerra Ader? Ce plan répondra-t-il à ses attentes?

— À mon avis, avança Ossassau, tout est parfait. Je crois bien que mes hommes pourront respecter cette mission.

— Pour ma part, ajouta Raffadj, je pense que cette tactique nécessitera quand même l'attention particulière de notre Conseil de sécurité.

— Naturellement, expliqua Ader, il ne faut jamais sous-estimer son adversaire.

Après s'être fixé rendez-vous le lendemain, les trois hommes regagnèrent leurs familles respectives.

Le matin suivant, dans le bureau d'Amikah, le général Ader, accompagné des deux chefs Ossassau et Raffadj, s'exprima ainsi :

— Bonjour, Madame la Présidente! Voici un autre de nos projets et nous espérons qu'il vous conviendra. Je peux vous affirmer qu'il empêchera la réussite du plan machiavélique des Terriens. Parmi nos nombreuses stratégies, celle-ci nous semble être la meilleure.

— En quoi consiste cette stratégie? interrogea la présidente, d'une voix limpide, les coudes sur la table et les poings appuyés sur le visage.

— Indéniablement, Madame, affirma le général avec assurance, en tant que citoyens conscients et amis de l'Univers, nous refusons de laisser les habitants de la Terre brimer la Nature dans son intégrité et sa beauté. Pour ce faire, au lieu d'attaquer les Terriens et provoquer une guerre interplanétaire, nous ferons en sorte que la Terre elle-même s'exprime et fasse valoir ses droits fondamentaux. Nous l'aiderons à se faire respecter et à reprendre sa place en jouissant à nouveau de toute sa liberté. Les commandos-prospecteurs invisibles ont prêté une attention particulière aux plaintes formulées par la Vie. Les arbres, les plantes et les animaux, entre autres, souffrent de maltraitance sur Terre. Certains végétaux font l'objet de génocides. Ceux qui survivent demeurent imprégnés par la peur d'être les futures victimes.

— C'est une situation inadmissible, souligna la présidente, avec indignation. C'est notre devoir moral de les aider à se protéger. Tout organisme vivant doit être considéré comme précieux. Comment parviendrons-nous à faire comprendre à ces prédateurs invétérés que l'Environnement est garant de leur survie?

Amikah s'assura auprès des trois hommes que le plan contenait tous les éléments essentiels qu'elle attendait.

— Évidemment, Madame la Présidente, lui répondit le général avec conviction. Scruté à la loupe par mes collègues et moi-même, ce document est parfait.

Au grand soulagement du général Ader, Amikah, rassurée et le sourire aux lèvres, approuva le plan en y apposant sa signature. Il fut décidé que son exécution s'étalerait sur une année afin de donner le temps aux Terriens de changer de comportement à l'égard de la Nature. L'idée était que s'ils se mettaient à respecter l'Environnement, ils oublieraient d'envahir Vénus. Les dirigeants des autres États furent prévenus par les moyens de télécommunication habituels.

Lors d'une réunion spéciale, le général Ader présenta son plan aux capitaines et colonels placés sous son autorité. Après leur avoir ordonné de le faire circuler parmi les commandos désignés pour l'intervention, il ajouta :

— Il nous faut procéder rapidement, car les Terriens sont confrontés à de graves difficultés. Leurs problèmes internes ne nous regardent pas, mais ce qui nous préoccupe, c'est qu'ils passent leur temps à s'agresser mutuellement pour expérimenter de nouvelles armes militaires qui portent un préjudice irréparable à la Nature. Celle-ci, hautement affaiblie, a besoin de notre aide. Dans certaines situations, nous devons combattre l'ennemi avec ses propres moyens. Les nombreuses pétitions présentées au Cosmos et dénonçant les agissements barbares des Terriens contre l'Environnement sont demeurées vaines, alors il est temps que nous mettions en œuvre ce plan.

Aucune question n'ayant été posée par l'assemblée, le général, brandissant ses poings, poursuivit :

— La stratégie consiste à encourager la Nature elle-même à réagir légitimement contre les Terriens qui semblent n'avoir que du dédain pour ses plaintes.

Quelques jours plus tard, le Conseil de sécurité se réunit et les écrans d'informations s'activèrent pour rejoindre les autres dirigeants de la planète. Tout était prêt pour révéler le plan baptisé *Vénus mon amour*. La présidente, l'air serein, se leva et remercia le général Ader et les chefs Ossassau et Raffadj pour leur ingéniosité. Elle céda ensuite la parole au général. Ce dernier enchaîna en tapotant la table discrètement de sa main, comme pour ajouter du poids aux mots qu'il prononçait :

— Nous devons mener notre plan sans faillir, sinon nous récolterons de sérieux ennuis de la part des Terriens. Nul doute qu'ils ne ressemblent plus à de vaillants guerriers ni à d'honorables combattants, encore bien moins à de bons soldats. Depuis que l'appât du gain est devenu leur valeur fondamentale, ils se sont affaiblis. Ils larguent, à partir de leurs avions et à l'aide d'ordinateurs, des bombes téléguidées. Leurs cibles abritent des populations civiles, composées surtout de femmes, d'enfants, de vieillards, et elles couvrent aussi inévitablement leur Environnement. En profitant de leur manque de rigueur, nous pourrons les neutraliser, les empêcher de connaître Vénus, et faire triompher notre précieuse amie la Création.

Satisfaits des décisions prises par les responsables pour les prochains mois, les membres se saluèrent et se quittèrent. Le général Ader et les chefs Ossassau et Raffadj se dirigèrent vers les bureaux du Ministère de la Défense planétaire. Des responsables de l'armée les attendaient. Les écrans de communication s'activèrent comme de coutume. Malgré l'anxiété poignante qui creusait les traits de son visage, le général procéda par étapes :

— Nous encouragerons fortement les révoltes de l'Environnement lui-même, bafoué depuis plusieurs siècles. En effet, ce dernier propose d'aider en premier lieu les végétaux à faire cesser les génocides qu'ils subissent à répétition.

Pour accomplir cette mission, il désigna les groupes de commandos qui connaissaient les lieux, pour les avoir bien prospectés. En agitant le document d'une main, il précisa :

— Votre devoir, pour réaliser une partie du plan, sera de rencontrer les chefs spirituels des arbres de tous les continents. Nous consacrerons le temps qu'il faudra, mais les Terriens finiront par apprendre leur leçon et comprendre les effets nuisibles de leurs agissements sur la Nature. Demain, dès l'aube, vous quitterez discrètement Vénus pour la Terre. Notre planète tout entière compte sur vous pour mener avec succès cette mission. Je vous promets que vos familles ne manqueront de rien. Nous veillerons sur elles comme sur la prunelle de nos yeux.

Chapitre 3

Sur Terre, les commandos-prospecteurs invisibles proposèrent aux chefs spirituels des arbres une stratégie les concernant. Ces derniers l'approuvèrent sans réserve. Puis, l'information fut transmise avec célérité à leurs semblables qui s'exécutèrent à la vitesse de la lumière. Aidés par la force du vent en colère, certains se dénudèrent de leurs parures avec un malin plaisir. Les conifères, usant de moyens ingénieux, dissimulèrent leurs aiguilles et retinrent leur sève. Leur remarquable solidarité confondit les Terriens qui ne les distinguaient plus des autres végétaux. Soudainement, les végétaux dénudés offraient des paysages inhabituels et affichaient des tableaux de désolation. Incapables d'interpréter ces signes, les habitants se sentirent menacés et furent pris d'une peur irraisonnée qui leur tordit les boyaux. De plus, l'idée de se mesurer à des êtres vivants plus forts qu'eux représentait un châtiment ignominieux pour leur ego boursouflé. Alors, naturellement, le bal des médias s'anima, faisant danser les spéculations disparates et insensées sur toutes les stations de communication. La voie de la désinformation était ouverte : des explications infondées sur les raisons de cette situation soudaine et jamais vue sur Terre se succédèrent. Au grand étonnement des populations affolées, les voix courageuses des chefs spirituels végétaux se firent entendre pour la première fois dans la langue des Terriens.

— Peuples de la Terre, nous affirmons que cet état de choses est la manifestation de notre révolte. La désolation ne fait que commencer. Nous vous recommandons de nous éviter, sans quoi vous serez aspergés de tous les pesticides que nous n'avons pas réussi à éliminer.

Les Terriens, ignorant la provenance de ces voix, furent saisis d'inquiétude.

Craignant le pire, le Cosmos réagit également en un clin d'œil. S'improvisant médiateur, il convoqua avec promptitude les chefs spirituels des arbres et les présidents terriens qui représentaient le pouvoir suprême. Pour manifester son mécontentement et faire réagir ces derniers, il imposa une température atmosphérique égale sur toute la Terre, soit 35 degrés Celsius. Conséquemment, les hauts responsables terriens ne purent rester indifférents aux ordres du Cosmos. Durant un des entretiens organisés par les chefs spirituels végétaux avec les hauts dignitaires terriens, un Teckeruda de vingt mètres de haut, chef de la forêt amazonienne, se présenta. Frissonnant de colère, il s'exprima avec hauteur :

— Terriens! Je vous rappelle que nous peuplions cette planète bien avant vous et que nous sommes des êtres aussi vivants et précaires que vous. Malgré cela, vous n'avez témoigné aucun respect à notre égard. Alors, écoutez attentivement ce que j'ai à vous dire au nom des miens. Je n'irai pas par quatre chemins pour condamner les comportements barbares de vos semblables, car ils ressemblent bel et bien à ceux de conquérants sauvages. Vous n'avez jamais apprécié la qualité d'oxygène nécessaire que l'on vous offrait pour votre survie; la protection autour du soleil à son zénith qui vous épargnait des brûlures; la belle brise qui vous rafraîchissait durant les périodes de chaleur intense; les variétés de fleurs et de fruits que l'on vous prodiguait charitablement. Nous avons généreusement contribué à l'embellissement de votre Environnement par la diversité de nos formes et de nos couleurs. Pour nourrir vos âmes et vous éviter la monotonie, nous nous efforcions de changer d'aspect au gré des saisons. Nous avons également donné le meilleur de nous-mêmes pour votre confort. Nous avons toléré que vous utilisiez le bois de nos arbres après leur mort. Et qu'avons-nous reçu en retour? Des destructions sauvages et ininterrompues à coups de scies mécaniques pour assouvir vos extravagants caprices. Nous exigeons donc à présent votre respect et nous voulons le garantir par la signature d'un pacte entre vous, responsables Terriens, et les chefs des autres planètes. Bien sûr, nous espérons que vous acquiescerez à cette demande, mais sachez qu'un refus de votre part n'arrêtera pas nos moyens de pression. Nous tenons le haut du pavé.

Les réunions se multiplièrent, tandis que les habitants de la Terre subissaient la pression des végétaux. Non seulement, ils ne jouissaient plus d'endroits ombragés, mais ils ne percevaient plus aucun feuillage aussi minime, soit-il. Les lieux désertiques les chassaient, malgré eux, des terrains boisés et des jardins publics. Même leurs domaines privés furent dépouillés de leur végétation. La morbidité de ce nouvel Environnement suscita en eux de la frayeur et de la frustration. En raison de cette révolution environnementale et du manque de sommeil, ils furent victimes de maladies sévères et subites du cerveau. Les villes ressemblaient à des terrains appartenant à un monde invisible. Une grande avenue, jadis parée d'arbres somptueux et embaumée par les senteurs suaves des fleurs qui la décoraient, s'était métamorphosée en affreux désert. Ses tristes façades assombries, privées des belles vitrines éclairées d'antan, rebutaient les résidants. La nuit tombée, le vent s'y engouffrait avec rage et malmenait les branches entrelacées des arbres nus. Sous la lueur de la pleine lune, leurs ombres ressemblaient à des fantômes valsant au rythme d'une musique funèbre dirigée par le vent. Ce spectacle d'outre-tombe aurait glacé les veines des plus téméraires. Ces événements provoquèrent un nombre croissant d'absences dans les administrations publiques. De ce fait, l'économie sur Terre amorça un inquiétant ralentissement. Néanmoins, les présidents terriens, l'esprit saturé d'idées préconçues sur leurs pouvoirs discrétionnaires, refusèrent la proposition des chefs spirituels végétaux. Sous-estimant grandement les arbres, ils la rejetèrent du revers de la main.

Navré par l'attitude des Terriens qui persistaient dans leur aveuglement, le général Ader fut toutefois satisfait par cette première opération. Il transmit promptement le compte-rendu à la présidente Amikah, qui se réjouit de cette nouvelle attendue avec appréhension. Rassuré par la ténacité des végétaux dans leurs moyens de pression, le général rappela les commandos sur Vénus. Les gouvernants terriens devaient absolument signer le pacte qui leur demandait de ne plus abattre les arbres pour satisfaire leur rapacité. Ils devaient permettre à ces derniers de vieillir et mourir dans la dignité avant de disposer d'eux à leur gré.

Pour aider les plantes à revendiquer leurs droits, d'autres missionnaires se rendirent sur Terre. La rencontre avec les arbres fruitiers déboucha sur la décision de cesser de produire des fruits, sauf pour les populations de petites localités, respectueuses de l'Environnement. Les plantes potagères, informées de la révolte en question, furent sollicitées à leur tour. Leur rôle, on ne peut plus discret, consista naturellement à redonner aux consommateurs terriens les pesticides dont elles avaient été aspergées. C'est ainsi que les arbres fruitiers et les légumes de la Terre contribuèrent avec délectation à l'insurrection. Leur ferme intention était de faire payer aux Terriens le prix de leurs erreurs. Les effets s'annoncèrent virulents. Des populations entières furent prises de vomissements et de douleurs abdominales les conduisant à la mort. L'ampleur des dégâts fut proportionnelle au volume de stimulants et de pesticides vaporisés sur l'Environnement. À bout de souffle, même les plantes d'appartement décidèrent de flétrir. Jugeant avoir été exagérément vivifiées, elles choisirent de mourir.

Gavé d'hormones de croissance, d'antibiotiques, de nourriture à base d'animaux, et cloné à l'infini par avidité pécuniaire, le bétail se rebella à son tour. Se sachant condamnées, les bêtes décidèrent de s'enfuir à la recherche de pâturages inconnus des Terriens. Pour vivre dans de plus grands espaces que ceux que leur réservaient les humains, la volaille s'envola vers de lointains horizons. Les hôpitaux débordèrent rapidement de patients intoxiqués. Les gémissements, les cris de douleur et les rouspétances résonnaient dans toutes ces institutions médicales où les gens devaient parfois partager à plusieurs le même lit. Les médecins et infirmières furent en outre malades à leur tour, ce qui réduisit le nombre de répondants aux besoins de la horde désemparée de patients, et ne fit qu'aggraver la situation. Dépassés par les événements, les médias remplirent leur rôle habituel en travestissant la réalité. Ils diffusèrent systématiquement des nouvelles erronées au point que les gens commencèrent à douter de leurs informations.

Un groupe de commandos revint sur Vénus tandis qu'un autre prit la relève pour poursuivre la même mission sur Terre. Leurs rencontres avec les maîtres des océans, des lacs et des rivières se multiplièrent. Après les avoir convaincus de leur soutien amical, ils leur proposèrent de redonner aux Terriens le mercure, les déchets nucléaires et de plastique ainsi que le mazout dont ils avaient été gavés. La faune marine se portait mal à cause du volume de gaz carbonique libéré dans l'atmosphère. Les commandos conseillèrent alors aux poissons malades de former des groupes téméraires prêts à se sacrifier pour la cause. Ces derniers acceptèrent de se laisser pêcher aisément par les habitants qui, après les avoir savourés, étaient confrontés à une longue agonie. Quant aux poissons ayant échappé, par miracle, à la contamination, ils reçurent la consigne de regagner les fonds marins, de jouir de leur habitat et de s'y terrer jusqu'au repentir des Terriens. Les belles algues, associées aux repas des consommateurs, occasionnèrent des nausées constantes. Quant à celles utilisées dans la fabrication de cosmétiques, en transmettant un taux élevé d'iode, elles provoquèrent des maladies douloureuses donnant un aspect répugnant à ceux qui en étaient affectés.

Depuis des milliers d'années, la pluie – parfois discrète et parfois abondante – s'est offerte généreusement aux Terriens. Mais ces derniers l'ont gaspillée en abusant de l'eau potable et en arrosant leurs jardins et leurs champs de façon abusive. Victime de leur dédain, en plus d'avoir été souvent contaminée par des produits chimiques en tous genres, l'eau laissa donc elle aussi libre cours à son indignation et exprima sa colère contenue depuis des millénaires en participant à la révolte générale de l'Environnement. Sachant pertinemment qu'aucun spécialiste des eaux ne pourrait remédier à ce problème, elle refusa, à sa guise, d'alimenter les populations de son choix. Discrètement, plusieurs heures par jour, elle s'efforça de rendre aux Terriens leurs déchets. Témoins de cette situation générale, de hauts dignitaires ecclésiastiques et gourous commencèrent à supposer que la Nature refusait de subir davantage le pouvoir des plénipotentiaires terriens. Ils demandèrent à tous les habitants de faire amende honorable en implorant le pardon de la Création. Les scientifiques, quant à eux, demeuraient bouche bée. Finalement, les environnementalistes affirmèrent, dans une colère à peine contenue, que ces événements inhabituels et funestes ressemblaient à un boomerang lancé par l'Environnement. Ils se dirent déçus par leurs semblables qui avaient toujours refusé de les écouter quand ils leur demandaient de prendre davantage soin de la Nature.

La multiplication des ouragans, des tornades et des orages violents, ces monstres aux pouvoirs macabres et incontrôlables, amplifia le chaos qui régnait sur la Terre. Des maisons bâties sur du roc apparemment inébranlable se mirent à voler en éclats, tandis que celles aux fondations plus fragiles se transformèrent, avec tout leur contenu, en poussière. Les habitants de ces demeures s'envolaient dans les airs comme de petits cerfs-volants sans guides ou flottaient comme des déchets de papier sur les océans. Des rescapés, terrorisés, couraient dans tous les sens à la recherche d'un lieu sécuritaire, ignorant que nulle place n'était épargnée. Certains d'entre eux, armés jusqu'aux dents, mais totalement vulnérables devant le pouvoir de la Nature, furent en proie à des crises de paranoïa qui les poussèrent à assassiner leurs semblables. Les Terriens prédateurs redevinrent des proies aux prises avec la loi de la jungle. Par ailleurs, les glaciers attendaient les consignes des commandos pour se détacher. Leur plan était de faire déborder les océans et inonder ainsi de nombreux pays.

L'âme en peine, certains peuples commencèrent à plier l'échine devant la révolte de la Nature qui, par son attitude hostile, usait de son droit le plus absolu. Aucun pays ne menaça plus son voisin. Personne ne pensait plus à déclarer la guerre à l'autre. Les chefs d'État, préoccupés à protéger leurs arrières, tempérèrent leurs ardeurs mégalomanes et cupides. Ils se concertèrent même entre eux pour contrer la tragédie qui bouleversait leurs vies. Mais leurs capacités se révélèrent nulles. Habitués à utiliser sans raison valable un arsenal de plus en plus sophistiqué, ils se retrouvèrent désemparés, impuissants et démunis, car sans dispositifs adéquats pour affronter les forces déployées par l'Environnement. Les pays habituellement agresseurs et arrogants envers l'Environnement subirent plus de dévastations que les autres. N'ayant jamais eu à subir de pénuries, leurs populations attendaient naïvement que leurs dirigeants trouvent quelque solution ingénieuse pour faire cesser la rébellion. De toute évidence, personne ne possédait la formule magique pour freiner cette catastrophe à l'échelle planétaire.

Avec un malin plaisir et une satisfaction insondable, le soleil exerça son pouvoir illimité sur ceux qui lui avaient envoyé fréquemment et sans réfléchir du dioxyde de carbone. Les nuages laissèrent le champ libre à l'astre éblouissant et tenace pour qu'il accomplisse sa revanche. Celui-ci, en plus d'incendier la moindre ramille, brûlait, en l'espace de quelques secondes, ceux qui pensaient le défier en lui offrant leur peau nue.

Désirant tempérer la désolation subie par les habitants de la Terre, le Cosmos demanda à Dame Nature de restreindre ses mesures excessives sur les populations, même si elles se justifiaient. Imperturbable, cette dernière lui rappela :

— Les Terriens m'ont infligé une profonde douleur en m'outrageant à répétition. Leur attitude relève d'une mentalité colonialiste. J'ai essuyé trop longtemps les conséquences de leur complicité malveillante et j'en ai terriblement souffert du fait que depuis des milliers d'années ils ont toujours tenu pour acquis tout ce que je leur ai prodigué généreusement.

Leur mission accomplie, les commandos retournèrent sur Vénus et furent accueillis avec les mêmes honneurs que leurs prédécesseurs. Dans une pièce discrète, munie d'un écran cathodique, le général Ader attendait fébrilement leur rapport en se frottant les mains. Ils s'empressèrent de lui exhiber des images témoignant de la situation désastreuse sur Terre, puis ils l'informèrent du refus des Terriens de signer le fameux pacte. Ces derniers, entêtés et imbus de leur supériorité, ne pouvaient concevoir que l'Environnement persisterait tant qu'il n'aurait pas été écouté ni respecté.

***

Comme d'habitude, certains médias attisèrent le feu en invitant les populations à ne pas céder à ce qu'ils osèrent appeler « les caprices de la Nature ». Alors que les conditions désastreuses perduraient sur Terre, ils promirent que tout s'arrangerait rapidement. En tant que médiateur, le Cosmos se sentit démuni devant la détérioration rapide de la planète par la Nature qui persévérait dans ses moyens draconiens. Témoin du chaos indescriptible et du nombre croissant de morts et de fous qu'il générait parmi les peuples, il demanda à s'entretenir promptement avec la présidente de Vénus. Amikah, accompagnée du général Ader, répondit favorablement à son invitation. L'immense Cosmos, à la fois nulle part et partout, fit alors entendre sa voix de tonnerre :

— Aidez-moi, Madame, à freiner les ardeurs de la Nature qui entraînent sur Terre des ravages inégalés. Il n'y a plus aucun édifice; les arbres ressemblent à des fantômes; les populations meurent par millions; les cadavres sont emportés par les pluies torrentielles et les vents qui les font virevolter violemment dans les airs. Certains Terriens innocents, même s'ils sont peu nombreux, subissent injustement les aléas d'une situation généralisée porteuse d'angoisses profondes.

Amikah, contrariée, leva la tête. Elle s'agita afin d'être bien vue par le Cosmos, puis elle lui répondit d'une voix sonore et ferme :

— Les Terriens n'ont pas respecté la Création qui leur procurait de grands bénéfices. Leur conduite, chargée de mépris, n'a jamais cessé de s'amplifier, malgré les avertissements sporadiques que la Nature leur envoyait : légers ouragans, tornades et tremblements de terre. Ils les attribuaient certes à des catastrophes « naturelles » mais jamais ils ne s'en sont souciés sérieusement. Et vous en êtes aussi conscient que moi, Monsieur Cosmos! Vous n'avez malheureusement pas honoré les nombreuses pétitions que vous adressaient les arbres et les plantes. Ils vous suppliaient pourtant de prendre acte de leurs doléances en compatissant à leurs souffrances sur Terre. Alors, je vous prie de laisser les Terriens expérimenter les désagréments causés par leur entêtement et leur esprit de conquérants démoniaques. Nous, les Vénusiens, savons bien qu'ils méritent encore plus de dommages. D'ailleurs, tout semble bien amorcé dans les circonstances.

— Mais, Madame Amikah, accordez-leur un peu plus de temps pour réfléchir, supplia le Cosmos.

La présidente pesa ses mots et, les lèvres pincées, rétorqua :

— Non, il n'en est pas question! Ils ont toujours cherché à contrôler et dominer la Nature. Ils ont bénéficié de milliers d'années pour méditer sur leur comportement inadéquat, mais l'ambition de forger la Nature à leur image les aveuglait. À mon humble avis, l'Environnement a été très clément et très patient pendant tout ce temps. De plus, comme vous êtes au courant de tout ce qui se passe dans l'univers, vous n'ignorez pas que les Terriens convoitent notre planète Vénus.

— Madame la Présidente, j'approuve ce que vous dites, mais j'en appelle à votre clémence.

Amikah n'en dérogea pas :

— Croyez-moi, Monsieur, la désolation qui prévaut sur Terre m'afflige quand je pense aux nombreux innocents. Cependant, il arrive souvent que les bons paient pour les mauvais. Je vous promets que nous ferons l'impossible pour protéger ces personnes sages ou du moins alléger leurs souffrances.

Le Cosmos ne réussit pas à convaincre la présidente de mettre fin aux hostilités collectives enclenchées par l'Environnement. Même en lui rappelant que ce dernier sévissait régulièrement, et de façon personnalisée, sur Terre, il ne la fit pas fléchir d'un pouce. Avec beaucoup de tact, il lui fit comprendre que si les Vénusiens ne s'en étaient pas mêlés, la vie aurait continué d'être supportable, jusqu'au moment où il aurait lui-même réglé les comptes des populations irrespectueuses. Sans le confier directement à la présidente, il souhaitait être le maître d'œuvre de la punition de ces individus qui ne méritaient plus son respect. Pour détruire la Terre en quelques secondes, il se réservait l'envoi d'un astéroïde de grande envergure. Son plan était d'abréger l'agonie des Terriens. Sensiblement offusquée, Amikah lui affirma qu'il était du devoir des Vénusiens, amis de la Nature, de protéger l'Environnement de la Terre et même de l'aider à se débarrasser du joug de ses habitants. Rendant cet entretien houleux, elle ajouta, avec irritation et en empruntant une voix grinçante :

— Je me dois de vous informer, Monsieur Cosmos, que les glaciers, les volcans et les sols sont en état d'alerte et attendent nos consignes. Si les gouvernants refusent de signer le pacte en question, ils se manifesteront à leur tour. La Terre sera mise à feu et à sang. Ainsi, en tant que présidente de Vénus, je vous propose de faire savoir aux Terriens que la demande de la Nature est irrévocable. À bout de patience, elle demande le respect, un point c'est tout! Et je ne veux pas créer de différend entre vous et moi à cause de ces égocentriques.

Pour faire suite à cette conversation, les pourparlers entre le Cosmos et certains chefs terriens triés sur le volet se multiplièrent. Ces derniers, aveuglés par leur sentiment de supériorité et leur ignorance, pensaient faire plier l'Environnement. Ils continuèrent à mépriser les réactions de la Nature et à nier le pouvoir qu'elle exerçait sur eux. Plus les mois passaient et plus les responsables vénusiens appréhendaient le pire. Sur Terre, les animaux sauvages, dotés d'un sixième sens, ressentaient vivement ce qui se passait. Ils décidèrent de se terrer dans des abris, loin du chaos. En migrant en troupeaux précipitamment vers d'autres lieux, ils causèrent, sans le vouloir, des morts et des blessés parmi la population.

Les Terriens étaient divisés sur le fameux Pacte de respect exigé par la Nature, mais un référendum démontra que 88 pour cent d'entre eux refusaient de le signer. Cette majorité s'imaginait qu'avec un peu de patience, tout rentrerait dans l'ordre et que l'Environnement cesserait bientôt sa révolte. Les 12 pour cent de voix favorables à la signature du pacte furent balayés du revers de la main par les majoritaires. Cette majorité continua de mépriser la Nature, sans savoir que celle-ci n'avait maintenant plus rien à perdre. Conscients de leur vulnérabilité face à la Création, quelques Terriens tentèrent d'éveiller les esprits de leurs semblables. Ils organisèrent des conférences. Ils sillonnèrent aussi les rues des grandes capitales, munis de haut-parleurs, dans des voitures à toits ouverts, en appelant à se repentir et reconnaître que la Création, indomptable, était sur le point de reprendre ses droits. Des tracts furent lancés à partir d'hélicoptères qui, du haut du ciel, dominaient le chaos. Mais toutes ces manœuvres de sensibilisation avortèrent. La plupart des habitants de la Terre demeuraient malheureusement prisonniers de leur ignorance et de leur insolence.

Les rues des villes, peuplées de gens qui manquaient d'eau et donc d'hygiène, devinrent insalubres. Les rats affluèrent et se mêlèrent aux populations. On y attrapait toutes sortes d'épidémies meurtrières, comme la diphtérie, le choléra et la lèpre. Le manque de soins de base aggravait la situation. Déconcertés par le cours des événements sur Terre, les responsables vénusiens se réunirent avec les membres du Conseil de sécurité et la présidente. Cette dernière s'adressa calmement à l'assemblée :

— Puisque les Terriens persistent dans leur aveuglement, notre nouvelle équipe de commandos se rendra sur la planète pour mener à terme le dernier chapitre de notre plan. Au risque de me répéter, pour tout l'or du monde nous n'accepterons que ces malfrats visitent notre planète, et encore moins qu'ils nous colonisent.

Les membres du Conseil de sécurité observèrent ensuite avec intérêt les images en provenance de la

Terre qui leur étaient projetées sur des écrans et qui révélaient l'aspect affligeant de la situation. Les quartiers des villes, désertés par la végétation, ne ressemblaient plus qu'à des amas de béton d'une laideur choquante. On pouvait entendre avec douleur les lamentations de parents qui pleuraient leurs progénitures décédées par manque d'eau ou emportées par des foules désemparées. Les écrans révélaient des scènes atterrantes d'enfants en bas âge abandonnés malgré eux, réclamant leurs parents, victimes des aléas de la révolte. Assis sur de la ferraille, en plein soleil, un enfant vêtu uniquement d'un tricot de peau poussait des cris stridents qui s'entremêlaient à des sanglots déchirants. Sur son visage sali de boue et de poussière ruisselaient des larmes brûlantes. Les poings fermés, il fut en proie à une crise d'hystérie. Des gens, préoccupés à fuir la désolation, passaient devant lui sans le remarquer. Malheureusement, le temps était compté pour lui aussi. Considérant ce visionnement émouvant, un moment de silence fut respecté par solidarité envers les Terriens pacifiques et innocents. Puis le général réagit :

— Madame la Présidente, que devons-nous décider concernant le sort des bons Terriens qui traitaient avec déférence leur planète?

— Nous soumettrons notre population à un vote. C'est lui qui décidera du sort de cette minorité : soit la sauver ou lui faire payer les frais de la majorité responsable de la dépression environnementale.

Ce vote eut effectivement lieu et s'adressa à toute la population vénusienne. Il fallait, de toute évidence, agir avec promptitude, car le climat sur Terre se dégradait à vue d'œil. Après un bref temps de réflexion, en 24 heures le référendum livra ses résultats. 85 pour cent des répondants se montrèrent favorables au rapatriement des Terriens respectueux de la Création vers Vénus. Pour donner suite à cette décision, tout se prépara rapidement et la présidente fit une allocution dans le parc habituel. La foule, plus nombreuse que précédemment, attendait vivement son annonce.

Pour éviter les conflits entre les peuples, les Vénusiens communiquaient tous dans la même langue : le vénusarius. Ce jour-là, une traduction simultanée était assurée pour les populations des autres planètes, incluant la Terre. La présidente Amikah, élégamment vêtue, les traits tirés et les yeux tristes, empoigna le micro, solidement fixé sur l'estrade montée pour la circonstance, et lança d'une voix pondérée :

— Chers Vénusiens. Du fait de leur arrogance à l'égard de la Création, les Terriens subissent des aléas qui s'amplifient de jour en jour.

Passionnée, telle que son peuple la connaissait, Amikah détacha avec fermeté le micro de son support, fit quelques pas sur l'estrade, et poursuivit, le verbe haut :

— Ils ont bafoué l'Environnement qui les mettait pourtant, avec l'aide du Cosmos, régulièrement en garde. À l'heure où je m'adresse à vous, 88 pour cent d'entre eux ont refusé de signer un pacte de respect de la Nature. Celle-ci, dans son ensemble, est entrée dans une révolte sans précédent contre eux. Aujourd'hui, les arbres, la flore et la faune marine remplissent leur mission avec ferveur. Mais nous compatissons avec les enfants en bas âge qui ne méritent pas ce sort. Pour savoir si nous devions sauver les Terriens respectueux de l'Environnement, nous vous avons donc soumis à un vote. Vous avez répondu favorablement à 85 pour cent et je vous en remercie. Vous, les 15 pour cent qui avez refusé de leur porter secours, je vous dis : soyez sans crainte. Ce sont des êtres comme nous, à l'exception de leur corpulence. Ils sont trapus, bien sûr, et nos modes de vie sont aux antipodes. Mais je peux vous assurer que ces Terriens-là ne viendront pas en conquérants chez nous. Ils seront simplement des invités. Durant leur séjour sur Vénus, ils collaboreront – du moins, je le souhaite – contrairement aux autres, à l'enrichissement et à l'expansion de notre planète. Dotée de valeurs fondamentalement humaines, cette minorité manifeste du respect envers l'Environnement, ce que ses semblables semblent avoir oublié au fil du temps. En retour, nos invités apprendront de nous ce qui leur semblera important.

Son discours terminé, Amikah regagna discrètement le palais présidentiel. Certains Vénusiens continuèrent à discuter de la venue des Terriens chez eux. Ils ne tenaient pas beaucoup à les côtoyer même si leur présidente garantissait leurs qualités humaines. Selon eux, s'ils n'avaient pas réussi à convaincre leurs semblables de respecter leur planète, ils n'avaient rien à apporter à Vénus. D'autres, au contraire, faisaient confiance à leur présidente. Ils voulaient rencontrer ces Terriens pour s'enrichir culturellement.

Chapitre 4

Les 12 pour cent de Terriens destinés à être sauvés par les Vénusiens furent immédiatement avisés par le Cosmos. Ils en restèrent pantois. Pour assurer leur sauvetage, le général Ader demanda l'aide du Cosmos. Ce dernier répondit à sa demande en faisant briller une lumière fluorescente sur leurs têtes comme signe de reconnaissance. Il ordonna également à ces personnes de se regrouper en plusieurs endroits précis, à l'abri des indésirables. Le général dépêcha alors les commandos libérateurs avec des vaisseaux spatiaux pour aller les rescaper. On assista, à ce moment-là, à la confrontation du ciel et de la terre, ces éternels antagonistes. De nombreux engins spatiaux, rappelant des oiseaux de proie, étincelaient dans le ciel. La Terre, aux prises avec la Nature devenue sauvage, sévissait elle aussi avec rigueur contre ceux qu'elle avait choyés durant des milliards d'années.

Malgré leur bonne organisation, les commandos rencontrèrent des difficultés sur place, comme celle, entre autres, du vent. En effet, en appuyant l'insurrection de la Nature, les vents violents formèrent un des obstacles redoutés par les spécialistes vénusiens : les vaisseaux très nombreux ne pouvaient plus atterrir et flottaient dans le ciel pendant que des commandos experts usaient d'un plan « B » qui consistait à soulever les Terriens qu'ils devaient sauver, à l'aide de ballons dirigeables pouvant contenir plusieurs dizaines de personnes à la fois. En désespoir de cause, certains Terriens tentèrent de combattre les Vénusiens à l'aide d'engins militaires. Mais le Vent, tout en rugissant de colère, redoubla ses efforts pour les en empêcher. Les Terriens furent rapidement mis hors d'état de nuire. Ces incidents compliquèrent et retardèrent les manœuvres de sauvetage. Durant ces opérations, d'autres Terriens prirent conscience de leur égarement et de leur faute de jugement, conséquence de leur cerveau anesthésié par la course folle au profit. Ils tentèrent de se joindre aux groupes choisis pour être sauvés par les Vénusiens. Ils essayèrent de s'agripper aux fameux ballons, mais en vain. Il était malheureusement trop tard pour eux. Certains chefs d'État s'accusèrent mutuellement d'avoir méprisé la demande de la Création en refusant de signer le pacte de respect. Finalement, la mission dura de longues heures, mais fut plutôt réussie.

Des événements inhabituels et épouvantables accrurent l'agitation des citadins de la Terre. Abandonnant les égouts asséchés, de nouveaux insectes ravageurs et nuisibles se ruèrent sur les trottoirs. Au-delà des monticules de détritus, ils profitaient du moindre orifice pour faire intrusion dans les habitations. Une fois à l'intérieur, ils assiégeaient les garde-manger, les lits et les garde-robes avec tant d'opiniâtreté qu'ils obligeaient les résidents à fuir leurs demeures. Défiant les pesticides même les plus tenaces, la vermine – inlassable et indestructible – poursuivait allégrement son pillage.

Les Terriens qui furent sauvés, bien qu'ayant le cœur lourd, ressentirent une certaine sérénité de se savoir en lieu sûr. Les commandos-prospecteurs invisibles continuèrent, quant à eux, de se rendre à la vitesse de l'éclair sur la planète Terre, pour prêter main-forte aux glaciers, aux sols, aux océans et aux volcans. Ces derniers parachevaient la destruction bien amorcée des Terriens. De magnitude jamais enregistrée dans l'Histoire et avec une rare violence, des séismes inattendus se manifestèrent dans plusieurs régions. Même les montagnes ne leur résistèrent pas. Elles se découpèrent en compartiments superposés. En plus de détruire massivement des édifices et des favelas, hurlant de rage, ces tremblements de terre engloutirent une bonne partie de leurs populations. La destruction des câbles électriques et des conduites de gaz rompit toute communication entre les habitants et conséquemment toute possibilité de secours. Cette nouvelle épreuve intensifia l'affliction des quelques résidents qui osaient se battre pour leur survie. Hélas, ils ne luttèrent pas longtemps, car il était impossible de sauver quoi que ce soit. Aidés par les secousses telluriques, les volcans terrestres tonitruants se déchaînèrent en crachant avec furie leurs laves et leurs vapeurs. Plus rien ne leur résistait. En une fraction de seconde, ils ravagèrent tout ce qui bougeait sur leur passage, anéantissant toutes structures érigées par orgueil, ainsi que toute forme de vie. Comme tout s'enchaînait, les océans n'échappèrent pas aux lois de la Nature. Touchés par des raz de marée et la fonte des glaciers, ils dévorèrent avec avidité, par leur ressac, des îles et des pays entiers. Ils ne firent aucune distinction entre les bonnes et les mauvaises personnes. Longtemps repoussés par les Terriens qui construisaient des lieux de villégiature sur pilotis, ils se réjouirent de se réapproprier leurs étendues spoliées. Quant aux fleuves, leur tâche toute simple consistant à déborder de leur lit ajouta à la dévastation de la Terre. Ils inondaient les habitations et emportaient avec eux les dépouilles de leurs propriétaires. Des populations désemparées gémissaient et courraient dans tous les sens, à la recherche d'un abri. Leurs piaillements demeuraient hélas étouffés par les grondements de la Nature assoiffée de vengeance. La vue de cadavres jonchant les rues glaça le sang des Vénusiens qui suivaient ce spectacle de désolation du haut de leur planète. Adieu, maisons, populations et végétation! Ce corps céleste anéanti renaîtrait-il de ses cendres?

Les responsables vénusiens, sans avancer de date, savaient toutefois pertinemment que la Nature ressusciterait. Mais en attendant, la Terre affligée ne représentait plus qu'un immense tourbillon d'eau, de feu, de roches et de dépouilles. Meurtrie, déçue et agonisante, elle ne pouvait plus cacher ses blessures. Elle se résigna donc à abandonner à leur propre sort ceux qui, par ingratitude, l'avaient maltraitée et reniée. En observant leur planète réduite à néant, les Terriens réfugiés sur Vénus enduraient, quant à eux, une souffrance qui leur collait à la peau telle une sangsue redoutable. Ils pleurèrent leur Terre en silence. Guérirait-elle des divers chocs qu'elle avait subis durant des milliards d'années? Parviendrait-elle à se purifier? À pardonner? Seul l'avenir le leur dirait.

Dans une effervescence inaccoutumée, Suneva accueillit les Terriens rescapés. Sa luxuriante végétation émerveilla ces derniers. Ils apprécièrent les habitations en forme de pyramides, qui témoignaient de l'ingéniosité des architectes vénusiens. En effet, les édifices étaient conçus pour résister autant que possible aux secousses sismiques. Ils ne dépassaient pas huit étages et laissaient le soleil se répandre sur les larges avenues qu'ils longeaient. Les Terriens profitèrent également des jardins publics agrémentés de fleurs aux mille couleurs. Il fut décidé que ces nouveaux habitants de Vénus séjourneraient dans la capitale pour mieux s'adapter à la population vénusienne. Amikah espérait que ses invités adhèreraient sans y être forcés aux valeurs de Vénus. C'est à cette condition qu'ils recevraient ensuite l'autorisation de circuler à travers la planète. Pour réussir les programmes d'intégration des Terriens, la collaboration des commandos-prospecteurs invisibles semblait importante aux yeux de la présidente. Leur connaissance des habitants de la Terre y aiderait grandement. Intransigeante, elle scruta chaque mot des documents qu'on lui soumit. Elle voulait à tout prix éviter une mauvaise interprétation de leurs énoncés. Elle dénonça les lacunes des politiques conçues par les dirigeants terriens en matière d'accueil des nouveaux résidents et invités.

— Leurs procédures, dit-elle, ne favorisent pas une cohabitation harmonieuse entre hôtes et invités. Elles semblent plutôt axées sur la division.

Afin de respecter la dignité des rescapés, Amikah recommanda de les loger adéquatement. Sans se soucier de la durée de leur séjour, elle voulut les intégrer rapidement au système vénusien. Un des objectifs proposés était l'apprentissage, de façon intensive, du vénusarius, langue universelle parlée sur Vénus. Les médias vénusiens informèrent régulièrement la population au sujet de cette cohabitation avec les Terriens. Ils expliquaient que leurs invités aimaient leur planète Terre et y retourneraient dès que ce serait possible.

Le temps venu, la Présidente s'adressa à ses invités terriens, ainsi qu'à son peuple, par le biais de la télévision et de la radio. Elle fit une grande impression sur les nouveaux venus. Sa silhouette élancée et filiforme était si différente de celle des Terriennes! Ses cheveux tombaient en cascade sur ses fragiles épaules. Ses traits, marqués par ses nombreuses expériences, lui donnaient un charme mystérieux. Elle se mouvait dans un pantalon aux larges pans, et portait une blouse en soie. Quand elle s'approcha de la caméra pour livrer son allocution, avec ses fines sandales aux pieds, elle donna l'impression aux Terriens de danser sur l'air d'une flûte. Elle s'assit à une table et croisa les bras avant de prononcer son discours officiel d'une voix mélodieuse et le sourire aux lèvres :

— Bonsoir Mesdames et Messieurs. Je m'adresse spécialement à nos invités Terriens en leur réitérant ma compassion pour tout ce qui se passe sur Terre et qui doit sérieusement les affecter. Je vous souhaite la bienvenue sur notre planète. La vie continue et dans le but de faciliter votre intégration, je vous suggère d'adopter le code vestimentaire vénusien, sobre et décent. Je vous encourage à visiter régulièrement les bibliothèques et autres lieux d'apprentissage, pour mieux connaître l'Histoire des Vénusiens et vous familiariser avec notre système politique. Je vous rappelle qu'aucune appellation n'existe sur Vénus pour définir un groupe d'individus en particulier. Les associations de ce genre ne sont ni acceptées ni stimulées par des subventions, puisque l'argent n'existe pas.

Après une respiration profonde, mais discrète, Amikah continua :

— Les habitants de notre planète forment un seul peuple avec les mêmes droits et responsabilités. Pour contrer l'injustice, des lois identiques assujettissent toute la population vénusienne. Le pluralisme, ancré dans notre réalité, fait notre richesse culturelle. Il n'y a pas chez nous de multiculturalisme qui divise. En favorisant la ghettoïsation, ce dernier empêche les résidents de nourrir un sentiment d'appartenance pour leur planète d'accueil. Aucun ajustement rattaché à une croyance particulière n'est permis dans notre société. Chaque citoyen est libre d'avoir ses convictions et pratiques religieuses, mais chez lui, à l'abri des regards indiscrets et des gens portés à l'intolérance. Un lieu de culte est ouvert une fois l'an seulement. Il sert à fêter l'anniversaire d'événements sacrés. Les habitants doivent se sentir égaux dans leur dignité. Sur Vénus, les femmes ne détiennent pas plus de pouvoirs ni de droits que les hommes, et vice-versa.

La Présidente, toujours souriante, poursuivit :

— Parmi les travailleurs, dans les bureaux ou dans d'autres institutions publiques et privées, il y a autant de femmes que d'hommes. Toutes les catégories d'employés s'adaptent les unes aux autres. Personne, sur Vénus, ne prône sa supériorité sur l'autre. Chacun est libre de le penser, mais personne ne peut agir en conséquence. Nous réprimandons sévèrement l'injustice sous toutes ses formes. Nos lois protègent notre équité et punissent le comportement inadéquat de rares individus égarés. Nous usons de méthodes sûres et de moyens ingénieux pour rappeler ces derniers à l'ordre. Nous avons longuement réfléchi au sujet des règles régissant la liberté d'expression et je puis vous assurer que leur application demeure conforme aux autres principes de justice invisibles. Nous savons nous en servir à bon escient. Je vous remercie de m'avoir écoutée.

Avant de quitter son siège, la présidente fit savoir aux invités que s'ils commettaient la moindre infraction aux règlements sur Vénus, ils seraient déportés vers la Terre, même si cette dernière se trouvait dans le chaos.

Dans le but de susciter un rapprochement cordial et d'harmoniser les relations entre invités et hôtes, des causeries furent organisées. La corpulence, l'accent et l'habillement des Terriens amusaient les Vénusiens. Plongés dans une population différente de la leur, qui privilégiait les valeurs fondamentales par rapport au matérialisme, les nouveaux arrivants subirent un choc culturel intense. Un profond malaise, mélangé à une certaine honte, les tenaillait. Après quelques mois, les programmes d'intégration les concernant portèrent leurs fruits. L'immersion des enfants terriens dans les mêmes classes que les jeunes vénusiens s'organisa rapidement. Les Terriens offrirent à leur tour des cours dans les domaines qu'ils maîtrisaient. En se rendant utiles, ils recevaient tout ce dont ils avaient besoin pour vivre décemment. L'absence de système bancaire facilitait les choses : aucun argent ne circulait. En se conformant aux règles qui régissaient le mode de vie de leurs hôtes, ils finirent par s'intégrer, par delà les difficultés, à leur société d'accueil. Toujours émerveillés par ce qu'ils découvraient, ils ne pouvaient que louanger les Vénusiens. Le covoiturage, par exemple, se faisait avec des véhicules électriques et s'avérait très efficace. Les vêtements vénusiens étaient confectionnés à partir de fibres naturelles, les accessoires, à partir de peaux de bêtes mortes de mort naturelle ou accidentelle. L'énergie solaire remplaçait l'électricité pour chauffer les maisons. Seuls les trains fonctionnaient à l'électricité. Quant au pétrole, il était utilisé dans l'aviation et la marine, avec parcimonie et pertinence. Comme il n'y avait pas de textile synthétique ni de plastique, le bitume liquide était inutilisé.

Les Terriens découvrirent des endroits magiques et des conceptions politiques plus avancées que celles qu'ils avaient connues sur Terre. Ils gardèrent une certaine rancune vis-à-vis de leurs semblables, même après qu'ils furent exterminés. Ils étaient persuadés qu'avec leurs machines nuisant à l'Environnement, ils avaient dilapidé les biens prodigués avec générosité par la Nature. En hypothéquant des milliards de vies humaines, animales et végétales, ils n'avaient fait que piller un patrimoine qui ne leur appartenait pas. Réunis en groupe avec leurs congénères, ils exprimèrent leurs émotions sans retenue. Des excursions furent organisées dans le but de leur faire découvrir Vénus. Certains endroits leur rappelaient la Terre de leur enfance.

***

Au bout de trois ans, les invités commencèrent à s'attacher à Suneva, cette grande belle ville animée et foisonnante. Ils aimaient y vivre et continuèrent à cohabiter relativement bien avec les Vénusiens. Des mariages mixtes furent même contractés. Les responsables vénusiens reconnurent l'expertise des invités qui contribuèrent grandement à l'édification non seulement de Suneva, mais de Vénus tout entière. Cette importante information fut transmise à la population vénusienne. Les Terriens, pour leur part, apprirent de leurs hôtes le respect de l'Environnement et l'art de vivre en général. Cependant, même si leurs connaissances s'enrichirent amplement, la Terre mère leur manquait toujours. De leur côté, certains Vénusiens entêtés continuèrent à se méfier des Terriens. Confinés dans leurs préjugés négatifs, ils les amalgamaient à l'ensemble des Terriens et leur reprochaient d'avoir profané la Création.

Un matin, la présidente convoqua dans la grande salle de réunion du Palais présidentiel le général Ader, les chefs Raffadj et Ossassau, ainsi que certains commandos-prospecteurs en chef. Assis autour de la table, tous attendaient de connaître la raison de cette réunion non planifiée. Amikah, avec un sourire de satisfaction, s'adressa à eux de la sorte :

— Je ne vous apprendrai rien en vous disant que la Nature sur Terre, jadis détruite, renaît avec force et luxuriance. Les quelques animaux qui ont survécu gambadent librement. La reproduction va bon train, aussi bien dans le règne animal que végétal. Même les fleurs apportent leur contribution à la reconstruction de ce corps céleste, en naissant joyeusement. Je crois alors que le moment est venu, pour nos Terriens invités, de retourner sur leur planète. Elle a besoin d'eux, de gens honnêtes et déférents à l'égard de l'Environnement. Ils se doivent de la reconstruire. Qu'en pensez-vous?

Un des commandos réagit :

— Madame la Présidente, tout est possible, mais nous devons peut-être demander l'avis de nos invités. De plus, une préparation minutieuse de leur retour sur une planète devenue si différente de celle qu'ils ont connue s'impose. N'oublions pas que cela risque de provoquer un choc chez eux.

— Je comprends tout cela, répondit Amikah, en opinant de la tête. Vous élaborerez une politique pour favoriser leur retour. Je tiens à leur expliquer honnêtement que leur Terre ressemblait à Vénus, avant d'avoir été bafouée par la majorité vorace et vandale de ses habitants. Je demande un programme complet pour les aider à la reconstruire. La responsabilité nous incombe de leur éviter de vivre d'autres situations plus perturbantes que celles déjà vécues.

Quelques jours suffirent au général Ader pour présenter le programme attendu par la présidente Amikah. Les rencontres se multiplièrent entre les décideurs pour organiser le retour progressif des Terriens. Peu de temps après, ces derniers furent invités à se présenter dans une cour d'école où la présidente, suivie de ses proches collaborateurs, apparut, l'air enjoué. Avant même de prendre la peine de s'asseoir, elle leur fit part de sa décision de les aider à regagner leur nouvelle planète :

— Chers amis Terriens ! Je suis très heureuse d'avoir accueilli sur Vénus des gens de votre qualité. La Terre était la sœur jumelle de Vénus. Nous ne reviendrons pas sur le passé. Pensons à l'avenir. Je tiens à vous informer que votre planète est en pleine renaissance et qu'elle a besoin de vous pour se reconstruire. Vous serez les premiers bâtisseurs d'une planète rayonnante qui n'attend que vous pour s'épanouir. Vos descendants seront fiers de vous ! N'oubliez pas que la gratitude que vous témoignera la Terre ne sera pas permanente. Vous devrez l'entretenir et préserver un respect mutuel. Vous me semblez en être capables. Éduquez vos enfants dans ce sens également ! Des documents vous seront remis par des responsables vénusiens pour vous aider dans la reconstruction de votre planète. Je vous reverrai bientôt.

Après avoir écouté ce discours, les Terriens éprouvèrent un sentiment partagé à l'idée de quitter Vénus. Le contentement initial fit place à une grande appréhension de l'inconnu. Ils ignoraient ce qui les attendait sur cette planète en mutation.

Le temps, fidèle à lui-même en tant que maître d'œuvre, précipita les événements. Un après-midi d'automne, les résidents de Suneva furent conviés à participer à une cérémonie organisée en l'honneur des Terriens invités. Les habitants des régions éloignées purent, selon leur désir, suivre le déroulement de l'événement sur des écrans géants. Dans la salle soigneusement choisie pour l'occasion, des grandes plantes ornaient les encoignures. Un buffet était proposé sur des tables rectangulaires dressées le long de trois murs. Il était composé de plats variés, de salades et de boissons non alcoolisées. Sur une autre table, plus petite, des desserts alléchants tentaient tous ceux qui les regardaient. Les différentes épices utilisées dans la préparation des plats embaumaient l'air. Avant que les convives ne profitent de toute cette abondance de mets, Amikah tint ce discours :

— Chers amis réunis! Je tiens à vous témoigner toute ma gratitude pour avoir, avec intelligence et humilité, grandement contribué à l'aisance de tous en vous unissant les uns aux autres. En vous concentrant sur ce qui vous rassemblait, vous avez appris à vivre ensemble en parfaite harmonie. Nous remercions vivement nos invités pour leurs nombreuses contributions dans la réalisation de beaucoup de nos projets. À ceux qui souhaitent revenir en vacances ou habiter sur notre Vénus, sachez que vous serez toujours les bienvenus, surtout si vous maîtrisez notre langue et continuez de respecter les mêmes conditions d'intégration.

La présidente invita ensuite les participants à se restaurer et, avec un beau sourire, elle se mêla à eux.

Au fond d'eux-mêmes, les Terriens étaient heureux de retourner sur leur planète. Des couples mixtes, entre Terriens et Vénusiens, décidèrent de prendre le même chemin. Certains Vénusiens célibataires les accompagnèrent également pour leur prêter main-forte, au nom de la coopération entre les deux planètes. Sur la nouvelle Terre, leur choc se révéla brutal. Dans ce lieu paisible, et combien impressionnant par sa vastitude, aucun humain ne les attendait! Où donc étaient passés tous leurs semblables? Aucune trace de squelette ne leur rappela leur existence. Ils en retrouveraient probablement plus tard, lorsqu'ils se repeupleraient et que des archéologues entreprendraient des fouilles pour retracer leur passé. Émus au plus haut point et le cœur ravagé, ils se demandèrent s'ils seraient capables de survivre dans cet univers qui, de prime abord, leur semblait trop hostile. À cet émoi s'ajoutèrent d'innombrables questions existentielles devant l'avenir incertain qui les attendait.

Mais finalement, avec le temps, ils reprirent espoir et décidèrent de se concentrer sur le présent. Ils comptèrent sur leur ingéniosité et leur créativité. Ils commencèrent par se contenter des moyens du bord. Ils dormaient dans des abris de fortune à base d'éléments trouvés sur les lieux, ou dans des tentes offertes par les Vénusiens, et ils scrutaient constamment le sol pour se nourrir. De temps en temps, quand ils assistaient à la naissance d'arbres qui jaillissaient comme par enchantement, les Terriens reprenaient confiance. Différents ruisseaux à l'eau limpide et murmurante s'offrirent à eux et les convièrent à s'abreuver. Les plans d'eau immenses, d'où s'exhalait une bonne odeur, vierge de tout polluant, les fascinaient. Ils ramassèrent des pierres et commencèrent à construire des habitations similaires à celles de Vénus. Ils ne bâtirent plus de gratte-ciels.

Les nouveaux habitants de la Terre éprouvaient un profond sentiment de fierté et d'appartenance à l'idée de rebâtir leur nouvelle planète. Ils s'entendirent sur sa nouvelle appellation : *TerNova.* Ils allaient mettre en œuvre tout ce qu'ils avaient appris durant leur séjour sur Vénus, et ils se promirent d'être toujours attentifs aux messages envoyés régulièrement par la Nature à ses habitants. Ils savaient maintenant que sans elle ils ne pourraient survivre. Ils firent signe au Cosmos pour l'assurer de leur souscription au pacte de respect envers la Création.

Fin

Imprimé au Canada
pour le compte de
TEXTES ET CONTEXTES